Golwg Arall

Dic Jones

Gomer

Cyhoeddwyd gyntaf yn Gymraeg yn 2001 gan
Wasg Gomer, Llandysul, Ceredigion, SA44 4JL
www.gomer.co.uk

Ail argraffiad – 2009

Dymuna'r cyhoeddwyr ddiolch i Mrs Siân Jones am ganiatâd
i adargraffu'r gyfrol hon.
Yn y cyhoeddiad gwreiddiol, diolchodd yr awdur i *Golwg* am ganiatâd
ac i'w gyfaill, T. Llew Jones, am gymorth gyda'r dethol.

ISBN 978 1 84323 013 7

Dymuna'r cyhoeddwyr gydnabod cymorth Adrannau Cyngor Llyfrau Cymru.

Argraffwyd a rhwymwyd gan Wasg Gomer, Llandysul, Ceredigion SA44 4JL

I'r wyrion,
Steffan, Osian ac Elis
a
Bedwyr, Peredur ac Ynyr

CYNNWYS

DYFOD ADREF

Pa bryd y mae ychydig yn mynd yn llawer? Cwestiwn R. S. Thomas yn ei ddarlith lenyddol, 'Abercuawg', yn Eisteddfod Aberteifi. Gwneud y pwynt yr oedd, os deallais i yn iawn, mor annigonol yw ein holl allu technegol ni i fesur pethau dyfnaf enaid dyn. Mor ddisynnwyr, yn wir chwerthinllyd weithiau, yw trio rhoi llinyn mesur materol ar bethau'r ysbryd.

Ac yn wir mae tuedd gynyddol i'r cyfeiriad hwnnw i'w chanfod yn ymdrechion diweddar y gyfraith i bennu iawndal mewn achosion lle sonnir am 'extreme distress', 'diminution of ambition' a phethau amhenodol felly.

Faint yn union fyddai 'ychydig o'r hen wylo yn y glaw', ys gwn i? Un hen bâr uwchben bedd agored unig blentyn, ynte miloedd uwchben y croesau bychain yn Fflandrysau'r gwledydd. A yw'r miloedd uwchben y beddau pell yn troi'r ychydig wylo yn llawer o wylo? A yw galar dau yn fwy na galar dwy fil? Ai wrth y galwyn y mae mesur dagrau – fel yr awgrymodd y bardd hwnnw ar ennyd wan?

Neu ystyriwch rif. Mae'n amlwg nad yw'r Beibl yn cyfri deg hedyn mwstard yn llawer. Ond beth fyddai'r deg yna yn ei olygu i mi? Deg tractor, dwedwch. Byddwn yn cyfri hynny'n llawer. Deg buwch – dim llawn cymaint, a deg iâr efallai'n ychydig. Ac eto'r un ffigwr yr wy'n ei arfer am y tri. Mae'r gwahaniaeth, felly, yn y gwerth yr wy'n ei roi arnynt yn unigol. Nid yw ffigyrau, er mor bendant ddigyfnewid ydynt, yn medru mesur popeth.

Achos pan aem yn ddau ar gefn beic slawer dydd a chael ein dal gan y plisman, nid oeddem ond ychydig yn ein golwg ein hunain, ond yn llawer yng ngolwg y gyfraith. Roeddem yn ormod yn ei golwg hi. Un! A fedrwch chi ddim cael ffigwr llawer llai na hwnnw, fedrwch chi!

Dyna i chi bellter wedyn. Oes yna ryw bwynt lle mae'r pell yn dod yn agos? Mae'n hawdd dychmygu plentyn yn bwyta afal o Awstralia – filoedd o filltiroedd i ffwrdd. Mae'r afal hwnnw'n agos ato. Yn ei law – yn wir, ni fedrai fod yn nes. A phlentyn arall yn trio estyn afal o berllan y ficer, a hwnnw rhyw ddwy fodfedd yn uwch na'i gyrraedd. Pa un o'r ddau afal sydd bellaf i ffwrdd? Afal y ficer na all mo'i gyrraedd, ynteu'r afal o Awstralia yn y ffridj gartref?

Ac o sôn am gartref, beth yn union yw ffiniau'r term hwnnw? Y man yr ydych yn byw ynddo, meddech chi. Ie. Ond ble yn union y mae'n dechrau ac ym mhle y mae'n gorffen? Ai mater o riniog a chlawdd terfyn – ai mater o friciau a morter yn unig ydyw? Gwelais pa ddydd arwydd ar stad o dai newydd (peth rhy gyffredin yn yr ardaloedd hyn ers blynyddoedd) yn dweud HOMES FOR SALE. A chwarae teg i'r Ddeddf Iaith, roedd cyfieithiad Cymraeg odano – CARTREFI AR WERTH. Ond a yw'n bosib gwerthu 'cartref'? Gwerthu tŷ – ydyw, wrth gwrs. Ond cartref?

Yn awr ac yn y man fe gaf achos i fynd i Gastellnewydd Emlyn – rhyw saith milltir i ffwrdd, sylwch. Hynny yw – oddi cartref. Medrwn fod adre'n ôl ymhen rhyw hanner awr. Dro arall efallai yr af drwy Gastellnewydd ac i Gaerfyrddin – deng milltir ar hugain fwy neu lai. Ac ar fy ffordd yn ôl, pan gyrhaeddaf Gastellnewydd rwy'n teimlo fy mod gartref, er i mi fod saith milltir oddi wrth y man lle rwy'n byw.

Os digwydd i mi fynd i Gaerdydd, sy'n rhywbeth tebyg i gan milltir o daith, pan gyrhaeddaf Gaerfyrddin wrth ddychwelyd rwy'n teimlo fy mod gartref. Yn yr union fan yr oeddwn oddi cartref ynddo ddoe!

Ac felly ymlaen. Pan af i Lundain – gwlad arall a byd arall mewn gwirionedd – dau gant ac ychydig o filltiroedd i ffwrdd, mae hyd yn oed cyrraedd Caerdydd ar fy ffordd yn ôl yn 'gyrraedd adref'. Ac os, drwy ryw hap, y caf achos i fynd i rywle dros y môr, rwy'n teimlo fy mod yn dod i olwg y mwg wrth nesu at Heathrow neu Gatwick.

Felly nid mater o fodfeddi, llathenni a milltiroedd yn unig yw pellter. Mae ffiniau cartref yn ymestyn mewn cymhareb union â'r hyn y trafaelir oddi wrtho, rhaid gen i. Un ai hynny neu mae pawb ohonom fel malwoden – yn cario'i gartref gydag ef i bobman.

'*Tywodyn o Gwm Tydu*
Yn hollt y rhwyf . . .' (John Tydu)

Down the old road alone he reappears;
His promised word he keeps.
All's well, for over there among his peers,
A happy warrior sleeps.

Ga' i estyn i chi eich stôl, Nhad,
Ma'r hen glos 'ma dipyn yn serth,
Nes i'ch anal chi ddod yn ôl, Nhad,
Falle 'nillwch chi dipyn o nerth.

Rych chi'n edrych dipyn yn well, Nhad,
Ishteddwch fan hyn yn yr houl,
Waeth ma'r ydlan yn stepen go bell, Nhad,
Ac ma'r Bois i gyd ar y Foel.

Falle daw 'na englyn o'r drôr, Nhad,
Sdim ots 'tai e dipyn yn fras.
Ond ma' tipyn o sŵn 'da'r hen fôr, Nhad,
Ma'r teid siŵr o fod yn mynd mas.

Ma'n nhw'n mo'yn i fi ddarllen llith, Nhad,
A phregethu – bydd rhaid paratoi,
Gobeithio na welwch chi whith, Nhad,
Os na allwn fod yno ein dou.

Ma' cystal mynd 'nôl at y tŷ, Nhad,
Ma'n nhw'n gillwn i ddod at y clos,
Ddown ni mas fory 'to hanner dy', Nhad,
Waeth ma'r awel mor fain gyda'r nos.

* * *

Draw yn nyfnder Môr Iwerydd
Yn nhywyllwch ei selerydd
Y mae'r nawfed ton yn cronni
Lle na chenfydd neb mohoni.

Gwened haul a sued awel
Dros y lli ar fore tawel,
Bydd ei hymchwydd dan yr wyneb
Eto'n bygwth rhyw drychineb.

Oni ddêl yn newid tywydd
Graddol gan ei chwyddo'n fynydd,
Gan rymuso a chyflymu
Fel mae'r glannau yn dynesu.

A'r môr-tir yn dod i'w herbyn
I'w ffyrnigo'n gawres dychryn,
Hyd nes tyr ar Graig yr Enwau
Ei chynddaredd yn daranau.

⋆ ⋆ ⋆

Dewch chi â'r *oakum* a'r ordd
A diflastod pob-dydd y garn gerrig,
Ac ewch chi â'm rhyfyg a'm hwyl,
Ond gadewch i mi fy nychymyg.

Ewch chi â gaeaf a haf
A hydref yn grwn os oes eisiau,
Ac ewch chi â gwanwyn drachefn,
Ond gadewch im gyfaredd geiriau.

Ewch chi â rhyddid fy nhraed
A'm hawl i'r Foel gyda'r hwyrddydd,
A bolltiwch y drws os oes rhaid,
Ond gadewch i mi fy nghywilydd.

Draw tu hwnt i Ynys Lochtyn
Lle mae'r môr yn dân
Y mae'r rhuban gwyn yn estyn
Dalen lân.

Ond mae llwydni'r niwl yn lledu
Hyd y gorwel draw,
Ac mae Craig Pen-parc yn crynu
Yn y glaw.

Sawr y gwynt a blas yr heli'n
Wahanol, a phob ton
Y mae'r bow yn torri drwyddi'n
Newydd sbon,

Fel 'tai cysgod gwylan weithie'n
Disgyn ar ei brig,
Gyda deilen y fasarnen
Yn ei phig.

⋆ ⋆ ⋆

Rywle yng nghiliau'r galon y mae bro
Ddilychwin y wawr newydd,
Lle na ddaw drychiolaethau'r nos i go'
Na thro cywilydd.

Ei heira oesol yn yr haul ynghyn
Ar ei chreigleoedd uchel,
Ac anfesuredd toreth gwenith gwyn
Ei phaith diorwel.

Lle cleddir pangau yr euogrwydd oll
Yn fforest ei hanghofrwydd,
A lle gall draen cydwybod fynd i goll,
A phob gwaradwydd.

Lle llifa dyfroedd claear llyn a thraeth
Yn falm ar gleisiau gofid,
A'r enaid briw yng ngwlad y mêl a'r llaeth
Yn gaeth i'w rhyddid.

⋆ ⋆ ⋆

Gwyn ei fyd y mae o hyd
Ei fywyd ef yn llawn
Cwmnïaeth cyfoeth celf a dysg,
Ymysg y mawr eu dawn.

Yn crwydro gwlad o'i pheithdir sych
I'w gwych gopaon gwyn,
I ardderchowgrwydd ffrydiau llaeth
A thraeth a choed a llyn.

Mewn cwmni cydnaws a gwlad well
Ymhell o'r ofnau mân,
Yn blasu byw yn llawn ei bwrs
Mewn sgwrs a llunio cân.

Gwyn ei fyd a dreulio'r nos
Yng nghwmni'r dlos ei min,
Gan ymhyfrydu yn ei gwên
A llên a photel win.

⋆ ⋆ ⋆

Beth yw rhaeadrau berw y Niagara
Wrth nofio tonnau gorffwyll Cafan Glas,
A'r traeth yn wyn o Graig Pen-parc i'r Morllyn
Yn anterth Storom Awst, a'r gwynt o' mas?

Beth yw tyrfaoedd syn ceulannau dwywlad
Yn awchu gweld trychineb yn y man,
Wrth dyrfa Dydd Iau Mawr ar Gnwc yr Odyn
Yn disgwyl morlo o fardd i ddod i'r lan?

Winc i ryw Fenws fain, a gwên hyderus
Yng ngŵydd y camerâu, a chodi llaw –
Anadl ddofn, ac yna'r ddeif herfeiddiol
I ewyn broch dyfnderau'r pair islaw.

Torri i'r wyneb draw fel bwi ar gorcyn
A'r 'sgyfaint llosg yn cyfarth am eu gwynt,
Y cerrynt gwancus am ei dynnu dano
A'r ddwyfraich gawraidd yn ei yrru 'nghynt.

Deilen o don i don yn cael ei thaflu
A chwip y lli ymron yn tynnu gwaed,
Nes crafu'r geulan bellaf o'r hir ddiwedd
A theimlo swnd gorfoledd o dan draed.

★ ★ ★

Pan ddelo'r deryn drycin
O'i grwydro'n ôl i'w nyth
Bydd cywion llawer gwanwyn
Hyd gwr y graig yn frith,
A'u clegar hwy yn deffro'r dydd
O glogwyn serth i gilfach gudd.

Bydd yno gylchu campau,
Ffrwgwd, a thrwsio plu
Wrth hawlio lle i glwydo
Yng nghiliau'r creigiau fry,
Ac yn y cynnwrf ambell un
Fel rhyw naill-adain wrtho'i hun.

A phan ddaw'r alwad gyfrin
I'w godi ar y gwynt
Bydd eto'n lledu asgell
Yr hen anochel hynt
I eangderau'r crwydro maith
Heb fedru ffoi nac aros chwaith.

★ ★ ★

Tro dy gefn ac fe fydd lladron
Yn llygadu dy gynilion,
Ond pan ddygo ffrind dy waled
Nid y pres yw'r fwyaf colled.

Prin fod angen ar y galon
Wefus i gyfleu'i chyfrinion,
Nid oes gofyn clust na llygad
Chwaith i nabod celwydd cariad.

Ar y ffordd i lawr o'r copa,
Maen nhw'n dweud, mae'r peryg mwya,
A pho uchaf bryn ymddiried
Garwaf fyth y goriwaered.

⋆ ⋆ ⋆

Mae ffordd sy'n mynd i bobman
Heb fynd i unman chwaith,
Sy'n cymell mab y daran
Ar ryw dragwyddol daith
Y mae'r cyfoethog arni'n dlawd
A'r hobo i'r teicŵn yn frawd,

Yn dal i geisio canfod
Hyd fforest, tref a phaith
Y freuddwyd na chadd dafod,
Y gân na chafodd iaith,
Ac ni all tlodi byd na'i fri
Fennu ar ei chyfaredd hi.

Ac am i'r chwarddiad cawraidd
I'r cwmwl daro'n fud
Amheuwyr academaidd
A'u damcaniaethau i gyd,
Mae olion traed y ddafad frith
O hyd yn aros yn y gwlith.

⋆ ⋆ ⋆

Lle ddoe y safai'n gawr yn adwy'r cae'n
Ei nerth yn llawenhau,
A'r bore'n las a hyd y dydd o'i flaen,
Mae'r ddwydroed yn trymhau.

Clywed y gwyddau gwylltion yn crynhoi
Uwchben, a chorws lleddf
Eu blaensaeth tua'r De yn paratoi
Oesoesol daith eu greddf.

A gwylio'r olaf un yn ymbellhau
Yn ddim yn niwl y lli,
A'r hen dragwyddol neges wedi'i chau
O dan ei hadain hi.

'I lawr y lôn gyfarwydd, heibio'r tro
I gadw'r oed y daw.
Mae'n iawn, waeth gyda'i debyg yn y co'
Mae enaid bodlon, draw.'

YR HEN GYRNEL

Gwallt crop a mwstashen y brid, a'r ddau'n drwsiadus frith. Achos urddas oedd ei ail enw. Yn ei wisg, ei osgo a'i ymarweddiad. Braidd yn drwm o gorff efallai, ac yntau bellach yn ei bedwarugeiniau, ac yn tueddu i warro ychydig. A rhwng hynny a'i wyneb bochlawn, shifêr roedd rhywbeth yn debyg i fwldog yn ei gylch. Yn wir, fe dyngech mai ef oedd y prototeip i'r ci hwnnw a wnaeth Mr Churchhill yn symbol o Brydeindod adeg y rhyfel.

Trigai mewn bwthyn a enwodd yn Shangri-la, braidd ar gwr y pentre. Yn ddigon agos i'w gael ei gyfri'n aelod *bona fide* o'r gymdeithas ac eto ychydig bach, bach ar wahân i rai o gymeriadau lliwgar y 'Ship' a'r traeth.

Roedd ei stafelloedd yn bictiwr o'r dyn. Yn agored i bawb a fynnai alw, ac yn chwaethus lawn o ddodrefn a chofroddion o'i flynyddoedd yn yr India a gwledydd y Dwyrain. Roedd i'r Eglwys, y Frenhiniaeth a'r Fflag le amlwg ar ei welydd. Yn wir, gallai'r anystyriol gredu mai'r rheiny oedd y Drindod yn ei olwg ef. Ond camgymeriad dybryd fyddai hynny.

Fel y gweddai i ddisgynnydd un o dai cyhoeddi amlycaf Cymru yn ei ddydd, ac argraffwyr geiriaduron enwog Spurrell, roedd ei silffoedd llyfrau'n llawnion. Ac er mai prin y caech ef i sôn am ei allu ieithyddol, os oedd amrywiaeth iaith ei lyfrgell yn ffon fesur, mae'n rhaid ei fod yn medru mwy na Saesneg nodweddiadol ei debyg.

Gyrrwr peryglus, ac yr oedd ei weld yn ei osod ei hun wrth olwyn yr Awstin A35 bach hwnnw braidd yn atgoffa rhywun am eliffant mewn whilber. Yna refio nes bod y peiriant yn chwyrnu bron cymaint ag un o'r awyrennau a godai o'r maes awyr gerllaw. Yna bant â'r cart, a chwarae teg iddo, ar hyd lonydd culion Ceredigion fel ym mhopeth arall, gŵr canol y ffordd oedd ef!

Bu'n aelod o'r Cyngor Sir a'r Cyngor Dosbarth am flynyddoedd lawer, ac mae'n siŵr bod cofnodion mwy manwl nag a feddaf fi am ei wasanaeth yn y meysydd hynny. Achos roedd egwyddor gwasanaeth cyhoeddus yn gynhenid ynddo. Ac fel y cynghorydd lleol mynychai gyfarfodydd y Cyngor Plwy fel sylwebydd ymgynghorol o bryd i'w gilydd. Cyngor cwbwl Gymraeg y bryd hwnnw. Ond y peth cyntaf a wnaeth y cyrnel oedd gwarafun i'r aelodau siarad Saesneg er ei fwyn ef. Roedd ganddo ddigon o Gymraeg, meddai ef, i fedru parchu'r sawl oedd yn rhugl ynddi.

A barcho a berchir, mae'n siŵr gen i. Achos er ei bod yn rhaid fod cryn wahaniaeth barn rhyngddo ef, fel hen filitarydd, a thueddiadau heddychol parchedigion eraill y pentre, ni bu erioed gan yr un ohonynt ond yr edmygedd mwyaf ohono. Ac os oes modd o gwbl cysoni egwyddorion Cristnogaeth ag imperialaeth, rwy'n siŵr fod ei gydwybod ef wedi hen ddod o hyd iddi.

Nid oedd mân siarad yn yr un croen ag ef – yn wir, nid oedd siarad o gwbwl heblaw fod ganddo gyfraniad o sylwedd i'w wneud i'r sgwrs. Efallai fod a wnelai hynny â'r ffaith ei fod yn drwm ei glyw. Felly pan ofynnodd i mi a gâi ef ddod gyda mi i Gaerdydd pan oeddem i gydymddangos ar ryw raglen neu'i gilydd, yn ddigon petrus y cytunais. Wedi'r cyfan, byddai teirawr o siwrnai yng nghwmni un yr ystyriwn nad oedd yn hollol o'm teip i yn gryn benyd. Ni ragwelwn ond can milltir o ddistawrwydd parchus, gweddus, diflas.

Ni bûm erioed cyn ffoled. Gydol y daith ni pheidiodd ei leferydd. Pob tref a phentref yr aem drwyddynt roedd ganddo ryw sylw adeiladol i'w gynnig. Hanes, enwogion, daearyddiaeth, diwylliant – roeddent i gyd ar flaenau'i fysedd. Yn wir, pe cofiwn chwarter yr hyn a glywais ar y siwrnai honno byddai'r ysgrif hon dipyn meithach.

CEFFYL BLAEN

Fynycha, dyn dŵad yw – yn frithach
Ei frethyn na'r rhelyw,
A dau adwaith gwlad ydyw
Ei alw'n ddiawl neu yn dduw.

MILENIWM

Fe alwyd eto filwaith
Ladmerydd y dydd i'w daith
Rownd a rownd ar siwrnai gron
Cwysi'r tymhorau cyson,
I droi haf yn aeafol
A'r gaeaf yn haf yn ôl.

Ac er cychwyn cyn bod co'
Na sôn am y Groes honno
Yn awr y mesurwn ni
Werth ein canrifoedd wrthi,
Fe ddôi ef drwy'r nef yn ôl
Yn ddi-feth i'w swydd fythol.

Tyfai'i hynt ef i'w hanterth
Nes gwanhau a llosgi'i nerth
Yn ddim bob teirlloer ar ddeg,
Cyn y dôi wedyn adeg
Ailgynnau ffagl y gwanwyn
Yn fywyn llosg wrth fôn llwyn.

Ef biau hafau bywyd,
Ef biau'r gaeafau i gyd.

Beth yw mil? Beth yw'n miliwn
Oesau wrth dymhorau hwn
Sydd a'i heddiw'n ddiddiwedd,
Nad yw'n bod na chrud na bedd
Yn ei hanes, na henoed
Na darfod na dod i oed?

Nis dawr yntau ffiniau ffug
A chymen ein dychymyg,
Ac ni fyn dderbyn yn ddall

Anwiredd milawd arall,
Ond fel erioed fe eilw'r haul
Hydref a gwanwyn didraul
A haf llawn a gaeaf llwm
Ymlaen am gan mileniwm.

CWMHOWNI

(*Lle mae olion y capel a ddechreuodd yr Achos ym Mlaenannerch*)

Lle'r arllwys Howni i Barc y Deri'i dŵr
Mae carreg sylfaen hen addoldy'n dal;
Ers pryd yn hollol nid oes neb yn siŵr,
Na phle'r aeth gweddill meini'r pedair wal.
Diau y cludwyd rhai ar gerti pell
O lawr Cwm Pregeth ar hyd lôn Bryn-mair
I Fanc Blaenannerch, i wneud capel gwell
Am fod arnynt forter gwlith y Gair.
A diau i'r rhai manaf fod wrth law
I gau'r adwyau wrth ailhadu'r ddôl,
Neu godi gwreichion oddi ar gaib a rhaw
Wrth lenwi cwter – ond mae un ar ôl.
Un maen yn sefyll drwy bob glaw a gwynt,
Oherwydd i faen arall dreiglo gynt.

SAIN A SŴN

Beth yw'r gwahaniaeth rhyngddyn nhw? Oes 'na wahaniaeth? Mae'r *Geiriadur Mawr* yn rhoi sain – sŵn, ansawdd sŵn. Ond nid yw'n rhoi sŵn – sain. Sy'n awgrymu fod sain yn sŵn, ond nad yw sŵn o anghenrhaid yn sain.

Awgrymai cyfaill o artist a eisteddai yn y sedd nesaf ataf pa nos mai sŵn wedi'i ddisgyblu yw sain ac mae'n anodd anghytuno â'r dehongliad hwnnw. Ond beth yw disgyblu? Beth yw'r ffon i fesur disgyblaeth wrthi?

Gwrando cystadleuaeth gorawl yr oeddem, a'r neuadd dan ei sang. Y mwyafrif llethol, mae'n siŵr, a chanddynt ryw hoffter at gerdd ond eu bod, fel y rhan fwyaf ohonom, braidd yn geidwadol eu chwaeth.

Yr oeddem newydd glywed datganiad gan gôr arbennig na wyddai neb beth i'w wneud ohono. Eisteddai'r cyfeilydd yn ddigon confensiynol wrth y piano ond synnwyd pawb pan ddaeth un arall ymlaen ac agor clawr yr offeryn a dechrau taro'r tannau â morthwyl drwm bob yn ail â phlycio'r gwifrau fel telynor. Fel y gellid disgwyl, creodd y ddau rhyngddynt y sain rhyfeddaf.

Dechreuodd y côr drwy sisial, gan gynyddu'n raddol i ryw fath o gleber – y peth tebyca glywsoch chi erioed i sŵn gwyddau. Nawr mae'n hollol bosib mai hynny oedd pwynt y darn ond nid oedd yn bosib dweud y naill ffordd na'r llall achos nid oedd gair o un math – nac iaith hyd y medrwn ni ddeall – yn cael ei yngan.

Bob yn awr ac eilwaith medrid dyfalu cordiau, a'r rheiny mor ddieithr fel mai prin y gellid eu hadnabod fel cordiau o gwbwl. Eto i gyd roedd yn gwbwl amlwg fod lleisiau a chlustiau'r cantorion yn hollol arbennig ac wedi'u tiwnio i ryw gywair nad oedd gennym ni a wrandawai arnynt ddim llefeleth amdano. Yr oedd yr un mor amlwg iddynt greu awyrgylch o ryfeddod a dieithrwch – p'un ai hynny oedd y bwriad ai peidio, sy'n gwestiwn arall.

Llawn mor ddiddorol oedd ymateb y dyrfa. Pawb yn rhy

fonheddig i weiddi bw ar yr hyn yn ddiamau a deimlent oedd yn nonsens hollol. Dygai ar gof i mi ymateb perthynas i mi pan glywodd ein côr ni'n canu darn go anodd am y tro cyntaf. 'Odi hwnna'n galed i'w ganu?' holai. 'Achos mae'n galed ar diawl i wrando arno.'

Efallai fod y cyfaill o artist wedi dod cyn agosed â neb ati pan ddywedodd fod y byd arlunio flynyddoedd o flaen y byd cerddorol ar fater celfyddyd arbrofol. Cawsant hwy eu cyfnod abswrd hanner canrif yn ôl. Tybed a yw cerdd yn dilyn yr un llwybr? A llên a phob celfyddyd arall o ran hynny.

Mae'n benbleth, on'd yw hi? Ar y naill law ffwlbri fyddai ymwrthod â phopeth newydd yn unig am ei fod yn ddieithr. Mae gormod o'r hyn a gyfrifid yn 'way out' pan oeddem yn blant wedi dod yn hollol gyfarwydd i ni erbyn hyn i ni dderbyn hynny. Ar y llaw arall mae'n llawn cymaint o ffwlbri i'r sawl sy'n arbrofi fod mor bell ar y blaen i'w gynulleidfa nes i honno fethu â'i ddilyn. Achos mater o gyfathrebu yw pob celf yn y pen draw. Hyd yn oed petai'r gynulleidfa honno'n ddim ond un.

DAMEG Y WHILBER

Rhan o'r drefn bob pythefnos
Oedd trio tacluso'r clos.
Hen glos caregog, a'i laid,
A ni'n wan, yn boen enaid.
A rhaid mud fy mrawd i mi
Bob tro oedd rhofio'r 'grefi'
Â'r brws mewn hen whilber bren
Ymaith i bwll y domen.

Wagen o whilber dderi
Ag olwyn harn, gul. I ni
Ein dau roedd ei breichiau, bron,
A hi'n wag yn llwyth ddigon.
Ei balans yn helbulus
A'i llwyth brwnt yn llethu brys.

Roedd rhywle garreg o hyd
Yn ymylu ei moelyd,
A'i gwlybyrog whilberaid
Ar lawr yn rhagor o laid
Yn diwel yn bydewau
A wnâi i ni'i ail-lanhau.

Oni ddaeth yr hyfryd ddydd
I ni gael whilber newydd
Gist sinc, ac un gostus iawn,
Fel asgell cwâl o ysgawn.
Whîl niwmatig a rhigol
Ei llwyth yn esmwyth o'i hôl,
Ac echel na ddôi gwichian
'Rhegi'r hwch' na'r ig i'w rhan.

Ac i mi a 'mrawd mwyach
Aeth y boen yn rhywbeth bach.
Yr oedd ef yn ei nefoedd,
Damon Hill y domen oedd,
Rownd a rownd fel 'tai'n 'Grand Prix'
A'r clos yn drac Alesi.

A bu'r clos am wythnosau'n
Loyw a ni'n ei lanhau
Yn ddigymell. Ambell waith
Am hwyl fe'i carthem eilwaith!

Mwy yr oedd gennym y modd
I ysgawnu'r dasg anodd.
Os yr un y clos (a'r ern)
A'r hen fwd, roen ni'n fodern.

EIRLYSIAU

Maen nhw yma eleni eto. Yn dechrau pipio mas mewn llecynnau cysgodol ers pythefnos, a'r hen, hen neges yn eu gwynder gwyryfol. Eilunod beirdd a llenorion ers canrifoedd. Symbolau perffaith o ddiniweidrwydd glân yn torri drwy ddaear galed ein gaeafau, ac yn y blaen.

Ond mae'n rhyfedd fel y mae rhai agweddau o fyd natur wedi cydio yn ein dychymyg yn fwy na'i gilydd. Pe gofynnech i rywrai â pha seiniau y byddant yn cysylltu dyfodiad y gwanwyn, mae'n siŵr y byddai naw deg naw y cant yn crybwyll cân yr adar. Y deryn du, hwyrach, 'yn tafoli'i ffliwt felen', ys dywed y prydydd yn ei fŵd mwyaf rhamantus.

Ond y gwir amdani yn hanes y prydydd hwnnw yw bod clywed sŵn asyn Emyr Hywel yn nadu ar draws y cwm yn arwydd llawn cyn sicred fod gwanwyn ar ei ffordd, ac yn achos llawn cymaint o lawenydd. Yn fynych bydd hwnnw i'w glywed cyn i'r fwyalchen ddechrau carthu'i gwddwg hyd yn oed.

Nawr ni ddeallais erioed bod y dywededig brydydd yn rhyw gyfarwydd iawn ag asynnod (y rhai cwadrwpéd beth bynnag!), llai fyth yn awdurdod ar eu harferion gwanwynol, ond mae'n siŵr bod blynyddoedd o sylwi wedi'i gyflyru i berthnasu aflafareiddiwch y donc â thon bereiddiach ei gymheiriaid pluog. Eithr dyw delwedd yr asyn ddim lawn mor dderbyniol, rywfodd! Asyn yw asyn, wedi'r cyfan. Boed ei berchen yn llenor neu beidio.

Ewch ymlaen a'ch holiadur yn eich llaw a gofynnwch i rywrai arall â pha anifail y bydd yn cysylltu diwedd y gaeaf a dyfodiad tywydd gwell. Deg i un mai'r ateb fydd yr ŵyn bach yn prancio ac yn sboncio hyd y meysydd. 'Oen bach du ac oen bach gwyn . . .' a.y.y.b. Hyd syrffed a bod yn onest!

Prin y bydd neb yn crybwyll y gwahaddod. Ac eto os gwnaiff hi ryw dridiau o dywydd mwyn hyd yn oed yng nghanol mis Ionawr, fe welwch bod 'ceibiwr y rhychau cabej' (ys dywed y prydydd eto) wrthi'n codi'i gestyll ym mhridd meddal ymyl y ffordd neu yn sawdl rhyw glawdd cysgod. Yn wir, ni byddai'n ormod dweud ei fod ef weithiau wrthi cyn bod y defaid wedi prin orffen hyrdda, heb sôn am fwrw ŵyn! Ond mae'n rhaid nad yw PR y wahadden mor llwyddiannus ag un yr oen.

Ond sôn am yr eirlys yr oeddwn, yntê? Yn eich arolwg dychmygol gofynnwch eto â pha flodau y byddwn fynychaf yn cysylltu'r gwanwyn. Bydd yr ateb bron yn rhwym o fod yn un o dri dewis – y Saffrwm, Blodyn Mis Mawrth neu'r Eirlys. Ond edrychwch chi o'ch cwmpas yn fanwl. Oes yna ddim cropyn eithin fan draw? A hwnnw'n ei flodau ers tro? Yn enwedig os yw'n digwydd bod mewn rhyw lecyn cysgodol. Ymhell cyn bod y *Galanthus nivalis*, y *Crocus vernus* na'r *Narcissus pseudo-narcissus* yn meddwl am bipio mas.

Siawns nad oes impiau ar y drysi a Llaeth y Gaseg hefyd, i lawr ar Hewl y Cwm. Ac yng nghysgod y coed yn yr allt bydd y drewgi hwnnw a alwn yn Biso'r Gath eisoes yn dangos ei wain bornograffig. Ond prin ei bod yn weddus sôn am hwnnw'n yr un gwynt â Lili Mair, yntê! Waeth i chi un gair mwy na chant – drysi yw drysi ac eithin yw eithin – hen bethau cas sy'n eich pigo chi ac y byddwn yn eu cysylltu â thir anial. Trash, pethau i'w crymanu a'u llosgi, nid pethau i ysgogi'r awen.

Mae yna rywbeth ynglŷn â'r Eirlys sydd wedi cydio yn ein dychymyg mewn modd na fedrodd blodau eraill. Fel sydd wedi digwydd yn hanes rhywogaethau eraill o fyd natur. Peunod, er enghraifft. Yn arddangos amryliw blu'u cynffonnau yn nhymor paru. Digon o ryfeddod. Testun edmygedd llenorion ar hyd yr oesoedd a'u prydferthwch yn ddihareb.

Ond faint o'r llenorion hynny sydd wedi sôn am degwch anhygoel haid o filoedd o ddrudws yn troelli'n yr awyr rhyngddynt a'r haul, a'r golau'n creu enfysau o blu'u hadenydd? Mae'r rhyfeddod yn llawn cymaint. Ond dyna fe, hen dderyn budr, swnllyd, eger yw'r drudws, yntê? Does ganddo ddim o urddas peunod lawntiau'r byddigions. Mae'n rhaid nad gwleidyddion yn unig sy'n medru sbinio!

WRTH WELD OEN MARW

Megis yn awr ei thymp o ŵydd y byd
Y cilia'r fam o'r neilltu i fwrw'i hoen
Y safwn, bawb ohonom wrth y Rhyd
Pan ddêl ein hawr, rhag gweld o'r praidd ein poen.

Nid oes a'n harwain ni i fewn i'r daith,
A phwyntio'r ffordd yr elom cyn ein dod;
Nid oes a'n tywys oddi yma chwaith,
A phwyntio'r ffordd yr aethom wedi ein bod.

Cadachau'r gladdedigaeth yn y brych
Yn cydio deupen einioes, a'u tynhau,
A gwaed yr enedigaeth ar y gwrych
Yn datgan anocheledd eu parhau.

A hithau'n Fawrth, mae'r nos a'r dydd gyhyd,
Yr un yw llawr y bedd a llawr y crud.

CWNINGOD

Mae eto yn naear Banc y Warin
Ambell bloryn o swnd melyn mwy,
Ac eto ugeiniau o gwtiau gwynion
Yn hobo'n ôl i'w cabanau hwy.

Troediwch yn dawel ac weithiau fe welwch
Ffroenau crych drwy'r corsennau crwm,
Neu bâr o glustiau'n berygl-astud
Neu bâr o draed yno'n bwrw'r drwm.

Aeth heibio waethaf blynyddoedd afiach
Drewdod a phydredd celanedd y Clwy
Yn weddillion a'u baeddodd yn ddeillion byddar
A'u gwasgu'n ysgyrion dan olwynion y plwy.

A phan gryno'r eiddew yn y rhew ar yr awel
Bydd gŵr gyda'i ffured yn cerdded y cudd,
A rhwyd begiau-hollt yng ngenau twll bolltio
O flewiach yn gwingo dan gysgod y gwŷdd.

Bydd eto yn gynnar ar Fanc y Warin
Heddiw i'w weld drael ffres hyd y ddôl
Yn ochr y llwyn, a churyll llonydd
Yn mewial uwchben, mae'r wningen yn ôl.

PARCH I'R ARCH (JOHN GWILYM JONES)

Fel arfer mae Archdderwydd o oed sant cyn dod i'w swydd. Rhyw Abraham ar barêd, a'i osgordd bron cyn llesged ag ef yn llusgo o'i ôl. Dyna yn gyffredinol yw barn y werin arno ef erioed, boed fel y bo.

Am yr Orsedd – rhyfeddod yw'n y fath oes â hon fod cenedl sy'n honni cynnydd yn fodlon ar safon sydd yn rhyw gyntefig ddigon, yn barhad paganaidd bron. Mewn oes sy'n medru croesi'r gofod â'i holl wybod hi ac ar fin cael cyfrinach hyna'r byd o'i fore bach, onid yw'n od ein bod ni'n dileitio mewn dal ati i heigio'n dyrfa ogylch neolithig gerrig cylch, o hyd yn dal yn bleidiol i ryw Gymreig rigmarôl? Waeth ni all prin rithyn o sail fod i nonsens Iolo.

Ond mae hen nâd am wn i, ynom am seremoni. Rhyw goel fod y regalia yn gwneud gwell dyn o'r dyn da. Rhan dyn yw rhyw newyn dall – newyn am yr anneall. Erioed bu'n hoff o'r proffwyd ddaw â lliw i'w ddyddiau llwyd, iddo mae'n fodd i addef rhyw raid sy'n ei enaid ef. Ac wrth gwrs mae gwerth gorsedd i'n denu i gyd yn ei gwedd.

Y mae'n wir fod ei mwynhad yn lliwgar iawn i'r llygad, a hynny yn denu'r dorf yn yr haul draw i wylio'r fintai yn ei 'lifrai las' a gwyrddion glogau'i hurddas. Maent yn werth cymaint â neb i wellhad y gyllideb. Ac mae'r wasg a'r camerâu a doethion radio hwythau'n cael twysg o rwysg yr osgordd. A dylai ffair dalu'i ffordd.

Pa well dewisiad, felly, i'r hen swydd na rhywun sy yn ŵr hyddysg, amryddawn, yn gall, ffotogenig iawn, sy'n ddiplomat â'i ateb, nad yw'n ail yn dod i neb sy byw heddiw mewn hiwmor? Un y mae'i iaith fel y môr (a da cael dyn, am un waith, Dyfedol ei dafodiaith!). Un ifanc – yn ôl safon y dorf dryfrith, henfrith hon beth bynnag – byth a beunydd sy'n dod i felysu'n dydd ar donnau radio'r bore, yn rhannu gras â barn gre. Mae 'na wers ym min ei wit a neges i'w finiogwit, ac mae'i bregeth yn byw – ordinhad o'r dyn ydyw.

Fe fydd capel Llanelwedd yn ha' mis Awst heb ddim sedd yn wag na lle i ragor yno gael dod drwy gil dôr. Bydd y Parch. a'r Arch. yr un, yn aml ar feysydd Emlyn fel yr âi gynt hogyn teg, yr un sydd â'r ddwyfronneg heddiw'n ei anrhydeddu. Ac yntau hithau 'mhob tŷ.

I GYFARCH TUDUR DYLAN

Bu, yn heulwen eleni'n
Dod i'th gadeirio di
Dy weled, Dudur Dylan,
Yn agor cof am greu cân
Ar gaeau ŷd a gwair gynt
Yn awel y deheuwynt.

Wyt o egin dy linach,
Crych dy ben fel Ceirch Du Bach
Yn agor eto'i lygad
O'i stôr i arlwyo'r wlad.

Eginai yntau'n gynnar
Â chnwd trwch yn y tir âr,
Ei fôn yn cadeirio'n dew
A'i wedd mor las â'r eiddew,
A dôi'n aeddfed ei hedyn
Yntau'n yr ha'n gynt na'r un.

Safai ef ar ei goes fer
A honno'n frig i'w hanner,
Yn y gwynt a'r glaw i gyd,
A safai'n y tes hefyd.

Ei bridd oedd y broydd hyn,
Ein pridd oedd piau'i wreiddyn,
Ac yn ei rawn gynnau'r oedd
Egni'r haf dros ganrifoedd.

Ni fynnai ef gael dwfn wâl
Y Fison's artiffisial,
Nid ydoedd i'w faldodi
Na'i gymell â'ch chwistrell chi.

O dir y graig dôi â'r grawn,
Gnwd di-rwysg ein tir ysgawn
Heblaw am gyfeiriau blith
Gwenudd yr haidd a'r gwenith.
Ireiddiai'u pridd, roedd parhau
Yn ei hen, hen enynnau.

Ar ddyfod diwrnod dyrnu
Ceirch di-ail oedd y Ceirch Du,
Dôi i mewn fel teid y môr
I gwbwl lenwi'r sgubor.

Roedd nodd a rhuddin iddo –
Hyd yn oed i'w welltyn o,
Amheuthun o'i falu'n fân
I anifail, neu'n gyfan.
Roedd rhyw rinwedd rhyfeddol
Yn ei wisg a wnâi ei ôl
Ar geffyl siew a blewyn
Bustach a lloi bach bob un.

Ddylan, wyt wyneb mebyd,
A'm cof am y caeau ŷd.
Rwyt tithau fel hwythau'n wych,
Had o frid y fro ydych,
A byw, fel y Ceirch Du Bach,
I mi a fyddi mwyach.

SBECTOL

Mi a brynaf bâr arall – ac yna
Bydd gennyf, chi'n deall,
Gyda dwy, gwd eidea
Lle i roi llaw ar y llall.

BUWCH

(*Gwnaeth cerflunydd lleol fuwch o wydr ffibr a baw gwartheg*)

Efa a wnaed yn gyfan – o asen
Aswy Adda druan,
Yn eich plith dyma drech plan –
Mae hon o'i dom hi'i hunan.

ANNUS HORRIBILIS

Yn siŵr, mae pethau'n seriws – hi, y Cwîn
Wedi cael y feirws,
A phawb yn holi'n y ffws,
'Ai un 'n' sydd yn anws?'

PAROT

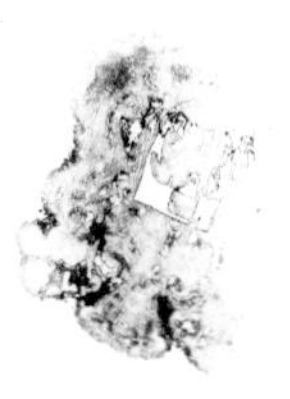

Onid yw'n medru deall – y Mesur
Ma' A.S. synhwyrgall
I gael ymddangos yn gall,
Yn dynwared un arall.

FFYN BAGLAU

Wedi'r anaf, ar drafel – i warchod
Eu perchen rhag diwel,
Bydd yn gorfod bod am sbel
A'i goese dan ei gesel.

ADNABOD

Maen nhw i gael aros gyda'i gilydd bellach. Druain ohonynt. Diolch bod yr awdurdodau wedi dangos cymaint â hynny o ddyneiddiwch, beth bynnag. Mae yna sôn bod yr hen le i gael ei gau a hwythau i'w rhoi allan mewn tai yma a thraw. Ond fe gânt hwy fod gyda'i gilydd rhagor – o hyn i'r diwedd.

Mae yna lawer i'w ddweud dros y trawiad sydyn – a'r cyfan drosodd, yn hytrach na'r difa araf, ddeilen wrth ddeilen, frigyn ar y tro fel pren yn crino. Mae yna lawer i'w ddweud dros y fellten.

Chwarae teg, bydd yna rywrai'n dod i'w gweld bob ryw hyn a hyn. O ddyletswydd – neu o gywilydd cyn amled â hynny. Ar brynhawnau Sul fynychaf. Eistedd fan'ny am yr awr lwedig yn ceisio cael rhyw wreichionen o adnabod o'r llygaid llugoer – unrhyw gryndod o ymateb wrth gydio dwylo – unrhyw ebwch o ddeall i lais cyfarwydd. Ond dim byd.

A phan fo'r gloch wedi'i chanu a'r maes parcio'n wag, a dim ond sgrechfeydd rhai gwaeth na hwy i'w clywed hyd goridorau'r trueni a wardiau'r tristwch, fe fyddan nhw'n ôl wrthynt eu hunain. Yn nabod methu adnabod.

Nid fel y byddwch chi a minnau'n adnabod, gan berthnasu enw a chyfeiriad, lliw gwallt a siâp trwyn, llais ac osgo. Ond fel y bydd y wennol yn adnabod ei thymor, neu'r eog ei aber.

Mae'n agos i ddeunaw mis bellach ers pan ddaeth yr ail ohonynt i mewn. Celain yn anadlu. Ei gosod yng nghadair ei llonyddwch llipa i bendwmpian yr haul i lawr, cyn ei chludo i'w gwely i gysgu'n effro a'i deffro i gysgu'r eilwaith. Ddydd ar ôl dydd ar ôl dydd. Ond bellach yr oeddent yn ddwy.

Yn yr hen, hen ddyddiau – efallai pan oedd y byd yn afluniaidd a gwag – buasant yn troedio'r un llwybrau. Yn dringo Carreg y Ddafad i weld yr haul yn machlud dros Ben Cribach yng nghwmni rhywun, yn torri llythyren ar Graig yr Enwau. Yn gwrando'r cryndod yn y groth, ac yn torri'r llinyn. Yn plygu gwar i'r ddrycin a'r gewynnau'n flinderus o boen. Yn llawenychu a thristáu, a'r llanw yn rhedeg allan. Ond yr oedd hynny slawer, slawer dydd, cyn y slawer dydd sy'n awr.

A dechreuodd y nyrsys sylwi bod y ddwy fel pe eto'n dechrau efeillio'i gilydd. Pan gysgai Martha, a'i phen yn hongian fel doli glwt dros fraich ei chadair, cysgai Mari hefyd. A phan ddihunai un, o fewn dim byddai'r llall â rhyw roch o gydymwybod yn ei chroesawu.

Pan geisiai'r nyrs ddwyn perswâd ei llwy foddion neu'i chwpan diod i geg y naill, o'r braidd na welid rhyw gryndod o ofuned ar wefus ei chwaer hefyd. Cywion yr un nyth. A phan fyddai angen glanhau a golchi'r gyntaf, gallech fentro y byddai'r ail yn yr un picil. Yn ddiwahân a diwahaniaeth. Fel petai'r llinyn hwnnw wedi'i gydio'r eilwaith.

Mae'r byd wedi peidio â bod. Ni thry ar ei echel bellach. Yr un yw ddoe, heddiw ac yfory. Nid oes iaith nac ymadrodd. Dim ond yr adnabod.

TROTHWY

(*Esther Ffynnon-oer*)

Dros riniog drws yr uno – yn ei gwyn
    I gyd cadd ei chario.
  Yna, wedi colli'r co',
  Yn dristach yr aeth drosto.

I GYFARCH CERI WYN

Mae i wanwyn ddau wyneb,
Awyr las a daear wleb.
Yn nhrothwy Mawrth mae o hyd
Yn y dafol rhwng deufyd.

Trengi a geni'n un gwynt
Ydyw awel Deheuwynt,
A'r oen trig ar y brigyn
Yn dirwyn gwaed i'r drain gwyn.

Ceri Wyn yw cri'r oenig
Sy'n syrthio i gadno'n gig,
A hiraeth hesben wirion
A'i hofer fref ar y fron.

Ceri Wyn yw'r buchod crwm
Fan draw yn eirlaw'r hirlwm,
A galargerdd anner ddu
Wrth y wal yn erthylu.

Ef ydyw'r gwynt sy'n deifio
Yr egin ŷd â'i oer gno,
A'r sied wair lle bu'r ystôr
Yn wag o unrhyw ogor.

Ceri Wyn yw cywreiniwr
Y llun du yn y llyn dŵr,
Ac ofnau'n heneidiau ni
Yn ei laid yn gwaelodi.

Ond ef a leisiodd hefyd
Gainc ein hysgrydion i gyd,
Gan roi'n ei gân holl groen gŵydd
Hagrwch eu godidowgrwydd –

Llifogydd a'u hirddydd hwy
Ar fuarthau'r rhyferthwy,
Neu fore raser yr iâ
A mawredd y storm eira,
Neu berffaith bigau'r eithin
A'r brain cras ar ryw bren crin.

Mae i wanwyn ddau wyneb
A'u didoli ni all neb.
Ein tragwyddol waddol ŷnt,
Yn dod fel tynged ydynt.

Eu haul fyth a welaf fi,
Canu'r cur yw camp Ceri.

LLWYDDIANT

Nid sain y Corn Gwlad, nid y feirniadaeth
Na didor foliant y dyrfa helaeth
Yn y gwaelod yw'r fuddugoliaeth,
Ond profi melyswin hen gyfriniaeth
Yn y mêr yn ymyrraeth – gan ddyfnhau
A throi yn eiriau wlith rhyw hen hiraeth.

TOM DEINIOL

Y mesur gorau o ddyn yw maint y bwlch mae e'n ei adael ar ei ôl. Fel ar ôl colli dant, bydd dyn yn rhoi'i dafod yn y twll am hydoedd wedyn. A hyd yn oed wedi i chi'ch hunan gynefino â'r peth, bydd yn amlwg i bawb arall.

Capel, cân a'r clos oedd pethau Tom – Capel y Glyn, clos y Deiniol, cân ym mhobman. Ac yn y tri fel ei gilydd, nid aeth Tom erioed yn Twm. Ond nid surbwchyn penllwyd mohono. Yn wir, ar adegau o seibiant yn ymarferiadau wythnosol y côr, roedd ei hanesion caru yn ei ddyddiau cynnar yn werth eu clywed. Er nad 'caru' a ynganai ef, achos rowliai e 'r' hytrach yn debyg i Lwyd o'r Bryn. Roedd peryg camddeall y gair weithiau!

Penllwyd? Na, yn sicr, achos cadwodd liw ei wallt mor ddigyfnewid ag asbri'i galon o'r dydd y gwelais ef gyntaf i'r diwedd sydyn.

Gŵr pendant ar ei biniwn mewn pwyllgor cymanfa fel mewn mart, a'i ddewis o'r hyn a hoffai yn y ddeule yn tueddu at y ceidwadol. Er i ni ganu 'Cytgan y Pererinion' gyda'n gilydd am agos i hanner y ganrif hon, mynnai Tom gael copi yn ei law. Doedd dim dadlau â hwnnw. Gŵr manwl. A pha mor enwog bynnag y byddai'r arweinydd o'i flaen, mynnai gadw'r bît y tu ôl i'w gopi â'i law rydd – rhag ofn i'r maestro fethu.

Ail denor oedd ef. Y llais rhyfedd hwnnw sydd rywle rhwng gloywder clochaidd y tenor uchaf a dyfnder melodaidd y baritoniaid. Fe gewch chi ddigon o denoriaid uchaf wedi pasio'u 'sell by date' yn llenwi'r bwlch, ynghyd ag ambell lencyn nad yw ei lais wedi setlo'n iawn, a baritôn neu ddau sy'n methu llwyr gyrraedd y nodau isaf i gyd. Ond ail denor naturiol oedd Tom.

Prin y bydd y llais hwnnw'n cael cynnal yr alaw mewn unrhyw gorawd mawreddog a morio i'r uchelion mewn melodi a fydd yn glynu yn y cof. Prin hefyd y caiff y cyfle i blymio i'r grafel gyda'r bas isaf i arwain ymdeithgan sy'n cynhyrfu'r gwaed. Ond chewch chi ddim cynghanedd hebddo.

Clywais ddweud nad ef oedd gwrandawr mwyaf astud y Sêt Fawr na'r porthwr mwyaf brwd. Roedd i'r gennad godi'i destun yn ddigon i Tom. Siôn Cwsg oedd pia hi wedyn. Bosib ei fod yn cymeryd y Sabath i fod yn ddydd o orffwys yn fwy llythrennol nac ambell un! Ond pan ddôi'n fater o Ysgol Gân neu drefnu cyhoeddiadau'r flwyddyn neu dwtio'r fynwent, nid oedd gorffwys arno. Ond wedi'r cyfan, gellwch blygu uwchben caib a rhaw.

Rai blynyddoedd yn ôl yr oeddwn i a'r teulu ar daith yn o bell oddi cartref – yng nghyffiniau Ross-on-Wye, os cofiaf yn iawn – pan groesodd car arall y cylchdro o'm blaen. Yn yr ychydig eiliadau hynny tybiais fy mod yn adnabod y gyrrwr er na fedrwn weld ond cefn y car.

'Jiw,' myntwn i wrth y wraig. 'Rwy'n siŵr mae Tom Deiniol oedd hwn'na.'

'Rwyt ti'n nabod rhif 'i gar e, gwlei,' meddai hi.

'Nag-w. Nabod 'i wegil e wnes i, ac rwy wedi canu digon o flynyddoedd y tu cefn iddo yn y côr i wybod 'mod i'n iawn.' Tom oedd e hefyd. Fuasai gweld wyneb llawer un ddim yn ddigon i'w nabod.

CERDD COFFA ALUN CILIE

'O hyd 'i Gwmtydu i grafu'n y gro'
A'i rwto diatal daw'r teid eto,
Ac mae'r gwynt a'r haul yn dal i dreulio
O Garreg yr Enwau'r enwau yno,
A'r morllyn fel ers cyn co'n ei charchar,
Fyth yno'n llafar mae'r Fothe'n llifo.

Ond fry yng Nghilie nid yw'r awenydd
Yn troi'i gaeau wrth grefftwra'i gywydd,
Yn ei wair a'i ŷd mwy nid yw prydydd
Yn lleddfu'r llafur â'i bennill ufudd,
Na'r bardd yn nhymor byrddydd yn cilio
I gael saernïo rhyw glasur newydd.

Ac ar y Suliau nid oes chwedleua
Ar nos y barrug draw yn 'Siberia',
Na glaslanc ifanc i le'r athrofa
Yn dwyn ei linell a'i gân i'w gwella,
Na hwyl y trawiad smala fu'n troi llên
Yn alaw lawen o haleliwia.

Mwy nid yw Alun ym mhen y dalar
A'i bâr ceffylau hyd rynnau'r braenar
Yn gloywi'r arad, na thwr o adar
Yn nhymor troi yno'n wylo'i alar,
Rhoed brenin y werin wâr i orwedd
Yn nhro diddiwedd hen rod y ddaear.

Mae galar yn claearu – yn ei dro
Gan droi yn hiraethu,
A hiraeth yn tyneru
I ail-fyw yr hwyl a fu.

Y Cilie a Jac Alun – a dethol
Gymdeithas Llewelyn,
Y drindod orau i undyn
Ei nabod wrth ddod yn ddyn.

Fforwm y bwrlwm lle bu – ei gân bert
Gan bawb, ond serch hynny
Alun oedd tewyn y tŷ
Ar nos Sadwrn seiadu.

Cymêr y strociau mawrion – a thonic
Ei chwerthiniad rhadlon
Fel diberswâd doriad ton
Ar y geiriau'n rhoi'r goron.

Ef yn ei hwyl a ysgafnhâi – ofid
Stafell a bryderai,
Ac os dros ben llestri'r âi
Ef a'i hailddifrifolai.

Yn ei gywair cellweirus – yn adrodd
Gwrhydri carlamus
Hanes yr hen Jâms a Rhys
Â'i drawiadau direidus.

A'r farn nad oedd troi arni – na wadai
Yr un iod ohoni,
Safai dros ein hachos ni
Yn graig, petai'n ei grogi.

Y dydd y gwnaeth Duw brydyddiaeth – a rhoi
I ni grefft llenyddiaeth
A chalon at farddoniaeth
Dim ond un Alun a wnaeth.

Profai, ar feysydd prifwyl,
Set ei het fesur ei hwyl.
A'r galon, yn llon neu'n lleddf,
I'w gweled wrth ei goleddf.
Nid drwg os tua'r wegil –
Ganddo fe ceid perlau fil,
Os isel ei gantel gwyn
Yna byr ei babwyryn.

O'r seler dôi slawer dydd
I'n cwrdd ni'r cerddi newydd,
Pan gydrannem y gemau
O'i gof, a'i lygaid ar gau.
Yn benillion brithion braidd –
Rhai blasus Rabelaisaidd –
Ymysg gweddus gywyddau
Llenor balch y Llyn a'r Bae.

Ni châi ofnau angau'i hun
Ar ei ryfyg warafun,
A châi'r rhai yn ward y brys
Berlau'i hiwmor byrlymus.
Sebonai'r nyrsys beunydd
A fflasio'r doctor bob dydd.
Yn ei breim fe fyddai bron
Wedi matryd y metron!

Ble heddiw mae'r llawdde disgybledig,
A'i ddawn o'i faes a ddewinai fiwsig?
Mae llaw agored y tro caredig
A'i fro heb nodded ei gŵr bonheddig?
Ond try'r co' i henro'r Wig – eleni
I'w rych i oedi am ryw ychydig.

SONED NADOLIG

Pan ddôi hi'n ddydd Nadolig arnom gynt
A ninnau blant yn mynd i fwydo'r stoc
I Nhad gael hoe, a'r clychau'n llond y gwynt,
Fe aem yn syth at breseb y fuwch froc
Honno a'r seren ar ei thalcen; doi fy chwaer
Iddi â'r sweden fwyaf yn y sach
A thipyn bach go lew dros ben o wair,
Waeth hi oedd biau Seren, esgus bach.
Fe sgubai'r gwely a'i daenu â sarn mân
I'w chadw'n gynnes yn yr awel lem,
A phanso glanhau'r preseb drwyddo'n lân,
'Run fath â'r beudy hwnnw ym Methlehem.
Disgynnai bwydo'r gweddill arnaf i,
Ond wedyn, Mary oedd ei henw hi.

STORI'R ESGER

'John, wyt ti'n gwbod pwy ddwarnod yw hi?' mewn llais fel colsyn dan ddrws. Cododd ei ben yn araf gan bipio arni dros ymyl ei bapur Sul. Am gwestiwn dwl! Ac yntau ddim ond newydd gyrraedd adre o'r cwrdd chwech! Gwyddai ei fod yn dechrau teimlo'i oed, a'i gof (a rhai pethau eraill) heb fod lawn cystal ag y bu. Ond roedd synnwyr o bopeth.

'Wdw'n b'rion – Dy' Shul, gwlei.'

'Wy'n gwbod hinny'r twpsyn. Y dêt, John, y dêt?'

Gwyddai hynny hefyd. Onid oedd hi'n drannoeth Ffair G'lamai, ac ef a hithau wedi cymryd wâc fach drwy'r dre'n hwyr y nos, fel roedd y stondinau'n cau? Roedd 'na fargeinion i'w cael yr adeg honno.

'Ma' hi marce'r lefnth, siŵr o fod.' Gwyddai o hir brofiad nad oedd llonydd i fod bellach, er na fedrai ar ben daear ddirnad beth allai fod yn 'i lasog hi.

'Odi, John, y lefnth – y lefnth o Fai,' meddai'r colsyn wedyn. 'A beth sy'n digwydd dranno'th y ffair bob blwyddyn?'

Diawl! Roedd e wedi anghofio'i phen blwydd hi eto! Gallech feddwl y byddai trigain ohonyn nhw wedi bod yn ddigon iddo fedru cofio. Llithrodd y papur o'i afael a thynnodd ei sbectol mewn pwl o ddiddordeb. 'Wyt ti'n itha reit. Ma' hi hefyd. Api rityrns i ti.'

'Hapi rityrns, ar f'ened i! Wyt ti wedi prynu presant?'

'Wel, a gweud y gwir wrthot ti, ro'n i'n ffeili'n lân â meddwl beth licset ti 'i ga'l. Fues i'n meddwl tua Dydd Calan lline wedi i fi anghofio rhoi presant Nadolig i ti, ond do'dd dim byd yn taro r'wfodd.' Ac mewn pwl arall o euogrwydd/haelioni ceisiodd fwrw'i fara ar wyneb y dyfroedd. Neu olew efallai.

'Taset ti'n ca'l dy ddewis – beth licset ti 'i ga'l?'

Synnodd hithau. Ac aeth yn swil i gyd. Mari'n swil! Collodd y colsyn beth o'i fin. 'Sa i'n lico gweud.'

Cododd yntau 'i obeithion. 'Dere mla'n, gwêd, 'es.' A thua'r drydedd waith fe gafodd berswâd arni.

'Fe . . . fe licsen i i ti brynu plot i fi – i ni – yn y fynwent. Rhag ofon.'

A dweud y gwir, o'i ran ef ei hun doedd John ddim mewn rhyw frys mawr, ond gydag ochenaid yn gymysg o ryddhad a siom, fe gytunodd. Yn llygad ei feddwl gallai weld y garreg fach las neis iawn honno a welsai yn ffrynt Defis y Beddau yn sefyll ym mhen ucha'r fynwent. 'Er cof (annwyl) am Mari James, Esger . . .' A doedd dim pris mawr arni, chwaith. Nid ei fod yn dymuno bod yn widman, cofiwch. Ond fel mae pethau yn yr oes hon – pwy a ŵyr ei lwc? Fe âi ynghyd â'r trefniadau'r peth cyntaf fore drannoeth.

* * *

Ffair G'lamai arall. Nos Sul arall. Sbectol arall.

'John, wyt ti'n gwbod pwy ddwarnod yw hi?'

'Wdw, Mari. Mae'n ddwarnod dy ben blwydd di.' Roedd ei gof wedi gwella'n rhyfedd.

'Wel. Beth wyt ti'n mynd i' roi i fi'n bresant?'

'Dim byd.'

'Dim byd? Dim byd?' Dau golsyn. 'Pam, 'te?'

'Wnest ti ddim iws o'r un gest ti llynedd!'

HEDFAN ISEL

Mi glywais i ryw stori
A ddywed fod pob corgi
Yn codi'i goes yn Rhandir-mwyn
Er mwyn i'r plêns fynd dani.

AR BRIODAS SIÂN TY-MAWR

Yng ngorfoledd cyfeddach – Siôn a Siân
Yw sail ein cyfeillach,
I Siân mae ei Siôn mwyach
A Siôn a fedd ei Siân fach.

Siôn a Siân yw'n holl hanes – Siôn a Siân
Yw hosana'r fynwes,
Siôn a Siân yw'r gân gynnes,
Siôn yw ei grym, Siân ei gwres.

Siôn yw'r crwth a Siân yw'r crud – Siôn a Siân
Yw swm y cyfanfyd,
Siôn a Siân, wyneb mebyd,
Siôn a Siân sy bia'n byd.

Siôn a Siân yw'r cyfannu – Siôn a Siân
Yw serch pob yfory,
Siôn a Siân yw'r gusan sy
Yn dal y byd yn deulu.

Hwy yn ddau fo'n ddiwahân – hwy yw'r wawr,
Hwy yw hedd yr hafan,
Hwy yw'r cof, hwy yw'r cyfan,
Einioes hir i Siôn a Siân.

I ANTI NEL YN DDEG A PHEDWAR UGAIN

Nid yw Nel yn mynd yn hen – yn naw deg
Y mae'n dal fel croten,
Yn naw deg oed gyda gwên,
Mae'n naw degawd o hogen.

Yn holl liwiau a llewych – ei lwyni
A'i heulwenau mynych
Ni fedrodd hydref edrych
Yn naw deg oed 'rioed mor wych.

Naw deg oed fel tw coedwig – o fedw'n
Aeddfedu'n osgeiddig,
Naw deg oed fel glasiad gwig,
Naw deg oed bendigedig.

Naw deg calon bodlonedd – a naw deg
Nas dawr eira'r llynedd,
Naw deg iau na'i phryd a gwedd
Naw deg di-oed ei hagwedd.

Naw deg atgo'r actores – naw deg oed
Y gân yn y fynwes,
Naw deg llaw garedig lles
A naw deg pen cymdoges.

Naw deg Miss Lewis ei phlant – a naw deg
Eu ffrind oll, a'u rhiant,
Naw deg un y dymunant
I'w naw deg oed ddod i gant.

DIWARNOD MOWR

Ma' hi'n ddiwarnod mowr ffor' hyn heddi. In Abergwein, Castellnewy' a Llan'doch. A sena i'n gwbod in iawn ble i find, n'ei. Falle mai aros biti'r clos 'na i, achos ma' hi'n arw ombeidus a ma'n nhw'n addo cawedydd sha hanner dy'.

A gweid y gwir, wena i'n gwbod rhyw bŵer amdenyn nhw'r Ffrensh in dod miwn i Abergwein slawer dy'. Wên i wedi cliwed y wheddel am Jemima, wrth gwrs, amdeni hi a'r meniwod erill a'u picwerchi in martsho rownd a chodi abwth ar y Ffrensh, ond wena i'n gwbod fowr pam a shwt a beth.

Ond fe ddath e Hiwel Teifi lawr ffor' hyn sdwetha, a ma' fe'n diall 'i dewy', a fe gesum i wbod pŵer. Fu'se fe a'r hen Jemima wedi bod in dipyn o fwrjis, reit i wala i chi. Wa'th weno hi nag e in aptus i odde pŵer o gomadiwe a damshgel cwysi. 'Nol fel ma' fe'n gweid, cachgïo nath y Ffrensh in y diwedd.

Ond ta beth am hinni – ma' hi i fod gered 'ma. Ma'n nhw'n mind i fartsho i Hwlffor' pentigili a 'nôl, a Chastell Pictwn a Threletert a'r llefydd 'na. Pawb wedi'i wishgo fel slawer dy' in beriwigs a britsh a legins i gyd. A ma' gida nhw Jemima arall – croten stansh, minte nhw – a ma' hi'n mind i arwen torred o feniwod lawr dros y llether goddereb â Charreg Wastad a 'nôl i'r Royal Ôk am ddiferyn o dablen, clo. Achos in 'u pethifed dalodd Jemima'r Ffrensh, chwel'.

Fydd 'ma garne o bobol, gewch chi weld. A ma' rhai o'r meniwod wedi bod in fishi ers wnifeintodd in stitsho'r wheddel i gyd miwn Tapestri. Achos os gall y Ffrensh ga'l tapestri in Bayeux pam na allwn ni in Shir Bemro ga'l tapestri 'bai hiy' os gwedon nhw'r 'down belows'. A ma' fe'n bregeth i weld e, wirione fach annw'l.

Draw sha Castellnewy' 'na ma'n nhw'n whare rygbi ar Ddysadwrne stil. Ca' rasys wedd e slawer dy'. A ma' Ebw Fêl 'na heddi miwn gêm gwpan – bois y Gw'ithe a wharwyr nid whare. Diwarnod lladd mochyn arall. Dafydd a Goleiath. Erbyn i chi ddarllen cymint â hyn biddwch chi'n gwbod pwy sy wedi cario ond alla i fentro gweid wrthoch chi y cân' nhw wres 'u tra'd.

Draw'n y Sowth wedd y wharwyr gore in y blinidde sy wedi mind h'ibo ond ma' siort Cilrhiwe a bois Crymych a Cardigan in twmo'u dom nhw erbyn heddi.

Steddfod sy'n Llan'doch. Siawns bydd sôn amdeni in y papire mowr a fydd hi ddim ar y weierles na'r telifishon ond fe fydd 'na rai in grondo a mwt Castellnewy' ar 'u sgidie nhw a phethifed Abergwein in 'u bolie nhw. Achos fel'na ma'n nhw'n gneid pethe ffor' hyn stil. Trw'r trwch. Meniwod wrthi os pysewnoth in crasu cacs, a thitshers in disgu'r hen rai bach i ganu a gweid 'u pishyn. Cryts a rhocesi in mind lan a stablan drwyddi gore gallan nhw. Ambell un 'yn dangos cryn addewid', ys gwedith rhywun callach na'i gily' sy'n 'u barnu nhw.

Ambell wmed cifarw'dd welsoch chi ar lwyfanne mowr in dod i roi tonc ar emyn dros drigen neu'r Her – nid er mwyn 'parhad y traddodiad' nac i 'gadw'r drws ar agor' na dim byd fel'ny. Ond achos 'i fod e'n hwyl. Bydd 'na grugyn o bobol in roro wherthin ar ben y llinell goll a'r 'frawddeg ar y gair', a rhai in tinnu macyn mas nawr ac lŵeth wrth gliwed englyn neu delineg. A phan fiddan nhw'n dymuno 'i'r hen iaith barhau' bore fory ar yn ail â'r ceilogod, falle mai canu o ran ffasiwn fiddan nhw, ond fe fiddan nhw'n gneid mwy na holl bolitishans y wlad i watsho bod hinni'n wir.

TRIGAIN OED
(*Hywel Ceri Jones*)

O'r rhiwiau i'r godreon – arafu
Rhywfaint y mae Afon
Ceri i berci hirion
Dolydd hyfryd-ddydd y fron.

DILYN Y GOLAU

(Penillion a ganwyd fel rhan o'r ffilm *Nadolig*)

Pan fo'n uchel y celyn – a Seren
Mab y Saer i'w dilyn,
Wrth ei cheisio bydd pobun
Yn cynnau ei olau'i hun.

Un gannwyll yn ugeiniau – ugeiniau'n
Gannoedd a'u pabwyrau'n
Filoedd o gannoedd, yn gwau
I'w gilydd yn un golau.

Llawer cannwyll a'r cynnud yn gwahodd
Y gân o'r cyfanfyd,
A'n drysau, bawb, dros y byd
I garol yn agoryd.

* * *

Nid yw golau'n ddim byd, medd gwyddonwyr doeth
O fetaffisegwyr, ond protonau poeth
Sydd ers pan aned y cread ei hun
Yn saith o liwiau wedi'u toddi'n un.

Fel dirgel deffroad y twf ar y ddôl
Ni welsom ei ddyfod, ond gwelsom ei ôl,
Nac o ble y daeth, nac i ble yr â
Ni fedrwn amgyffred, dim ond beth a wna.

Mae ar ffin ein dirnadaeth ei wibiad chwim
Ond hebddo ef ni chanfyddem ddim,
Fel y gân yn y galon ar droad y rhod,
Ni wyddom beth ydyw, dim ond gwybod ei fod.

* * *

Pinatta* neu Santa, mae'r sach – hyd y fyl
Ers dwy filawd bellach
O'i llawenydd yn llawnach,
Digon i bawb mewn dogn bach.

*Siôn Corn ym Mecsico.

⋆ ⋆ ⋆

Nid oes gloch a gân ddistawed
Nad yw pawb yn medru'i chlywed,
Nid oes seren chwaith mor ddinod
Nad yw pawb yn medru'i chanfod.

⋆ ⋆ ⋆

Tra bo dynolryw bydd rhywun – yn nwfn
Pob nos wrthi wedyn,
Gan ddal dan ganu i ddilyn
Canhwyllau y golau gwyn.

⋆ ⋆ ⋆

A golau'r Seren honno
Ym Methlem fu'n disgleirio
Yw fflam pob cannwyll uwch pob crud
Ar draws y byd sydd heno.

Ei gwawl yw pob pelydryn
Sydd yn disgleirio'n glaerwyn
Ar furiau aur a cherrig nadd
Y neuadd fel y bwthyn.

⋆ ⋆ ⋆

Yn nhîm y gân pan aem gynt
Am galennig wedi nos,
Roedd bwganod yn y cysgodion
A Herodiaid ein pryder
Yn rhithio o berthi'r eithin.

Hyd lonydd dioleuni,
Gan godi o'u llwyni y tylluanod
A'u hofnau'n ein hanfon
Hyd erwau dieithr ein daear dywyll.

Yna, draw rhwng coed yr allt
Yn ein gwahodd, fagïen
O oleuni yn oerni'r nos.
Ein cân yn cerdded y cwm,
A'i heco yn codi'r gliced.

⋆ ⋆ ⋆

Mae lludded, ym min llwyddo
Yn fuan yn dadflino,
A'r traed a fu ar siwrnai faith
O'u taith yn ymystwytho.

⋆ ⋆ ⋆

Cerdded eilwaith daith y doethion
Ydyw hanes holl blant dynion,
Gan ddisgwyl cael, ar ôl trafaelu,
Bennill ateb yn y llety.

Mynd, i fiwsig, mewn defosiwn
Yn oesoesol mewn prosesiwn,
Mynd, a dilyn munud olau
O lawenydd draw o'u blaenau.

⋆ ⋆ ⋆

Hyd holl bellafoedd daear cenwch gân, cenwch gân
Yn un gymanfa lafar, cenwch gân.
Cyhoeddwch y newyddion
Fod fflam daioni dynion
Yn drech na phob cysgodion, cenwch gân, cenwch gân
I'r golau yn y galon cenwch gân.

Ymleded eich melodedd dros y byd, dros y byd,
Hosanna eich perseinedd dros y byd,
A'ch carol fo'n cyhoeddi
Y gân nad yw'n distewi,
A channwyll y goleuni dros y byd, dros y byd,
Nad oes dim diffodd arni dros y byd.

SARA

Gwniyddes. A bron yr olaf o'r crefftwyr peripatetig hynny a gofiaf yn mynd o gwmpas cartrefi'r ardal. Heblaw am Benj Pant-coch i ladd moch efallai, a Denis Pil-bach, y saer.

Tua'r hanner cant parhaol yma, gallwn feddwl, a'i gwallt brith wedi'i glymu'n fynen ddestlus ar ei gwegil. Gwisgai'n ddieithriad frat gwyryfol o lân ac arno batrwm o flodau bychain. Ac yn rhedeg ar ei draws boced ddofn, o'i gwneuthuriad ei hun mwy na thebyg, lle cadwai ddalennau o bapur sgrifennu a phensil. Bob amser.

Achos rheiny oedd ei dolen gyswllt â'r byd – ar wahân i'r ychydig gymdogion a ddeallai iaith bysedd. Waeth roedd yn hollol fud a byddar. Ac er ei bod yn byw lai na chanllath o iet yr ysgol, a ninnau blant o'r herwydd yn ei gweld ryw ben o bob dydd, roedd yr olwg shifêr braidd ar ei hwyneb a'r synau rhyfedd a ynganai wrth geisio ein rhoi ar ddeall, yn peri bod arnom beth o'i hofn.

Buasai Mam yn lletya gyda'r teulu ym Mlaen-waun cyn iddi briodi a chryn gyfeillgarwch wedi tyfu rhyngddynt, a Sara hyd yn oed wedi dysgu cryn dipyn o iaith y bysedd a'r arwyddion dwylo iddi. Ond pan fethai cyswllt o'r fath doedd dim amdani ond deifio i boced fawr y brat am y taclau sgrifennu. Llyfiad i flaen y pensil a thorri'r neges ar y darn papur. Yn Saesneg bob amser, gan mai felly y cafodd ei dysgu, am wn i. Mewn rhyw ysgol tua Llanelli, meddai'r sôn. Ond roedd ei geirfa, ei sillafu a'i llawysgrif cyn gywired a chyn ddestlused â hi'i hunan, a'i holl osgo'n ymgorfforiad o foneddigeiddrwydd a moes.

Weithiau pan ddeuem adref o'r ysgol byddai cot facintosh las tywyll yn hongian ar balis y gegin fach, a bag lledr o glytiau amryliw, bron fel bwrdd gwyddbwyll ar ei gornelfed, ar gadair wrth dalcen y seld. Byddai Sara yno, yn eistedd cyn agosed ag y medrai i'r ffenest yn clytio rhyw bilyn neu'n addasu rhai o ddillad y rhai hynaf ohonom i ddod i'r rhai iau.

Nid bob amser y byddai'r merched yn edrych ymlaen at gael ffrog newydd o waith Sara, er cystal fyddai'r toriad a'r pwytho perffaith. Y ffitio fyddai'r gofid. Achos pan fyddai'r winyddes yn sticio pinnau fan hyn a fan draw i dynnu i fewn neu adael allan ni fyddai'n sylweddoli i ambell bìn fynd braidd yn ddwfn achos ni fedrai glywed y wawch. Ebwch o gerydd wedyn ac edrychiad a ddywedai 'Sa' lonydd, groten!' mewn unrhyw iaith.

Byddai'r papur dyddiol ar yr adegau hynny yn cynnwys mwy na'i lond o newyddion. Achos byddai Sara, gydol y dydd, wedi bod yn defnyddio'i ymylon i siarad â Mam â'i phensil, a medrech ddilyn holl sgyrsiau'r dydd o un cornel i'r llall yn agor o'ch blaen fel sgript drama sebon. Gwell na rhai ohonynt hefyd!

Hynny yw, os na fyddai'r ddalen honno wedi'i thorri'n stribedi i wneud sbils. Achos roedd Sara'n sbilswraig tan gamp. Yn wir, byddai'n arfer ganddi anrhegu gwraig y ty â dyrnaid o sbils wrth gyrraedd. Ac mewn oes o ganhwyllau a lampau olew roeddent yn dderbyniol dros ben, wrth gwrs. Sbils main, caled, a phara ynddyn nhw. Yn ystod oriau hirion unigrwydd ei byddardod roedd wedi meistroli'r ddwy grefft.

CYFATHREBU

Rhyfeddod mwya'r oes yw gwyrth y We.
Mae hyd yn oed y beirdd o dan ei hud
Yn dwyn Gorllewin, Gogledd, Dwyrain, De
Yn glwm o gynulleidfa ar draws y byd.

Un yn cyfarch miliwn, a'r miliwn un,
Heb falio am ffin gwlad na'r gofod draw!
Dihysbydd, i bob golwg, allu dyn
I bontio'i holl derfynau ar bob llaw.

Ond – galwch chi fi'n sgwâr o flaen fy sgrin
Mewn byd sy'n sgubo'i gyfyngiadau i ffwrdd –
Ai trech yw gwyrth ei dibendrawdod hi
Na'r wyrth oesoesol pan fo dau yn cwrdd?

Waeth lle bo un i wrando ac un i ddweud
Mae'r cyfathrebu perffaith wedi'i wneud.

AR EI CHANFED PEN-BLWYDD

Beth yw maint ei henaint hi – os yw cof
    Einioes gyfan ganddi?
  Ei hoed nid yw'n ei hedwi,
  Nid yw yn hen ond i ni.

Hardd yw haul y bore ddydd – ac arall
    Hawddgarwch canolddydd,
  Ond nid oes i dywyn dydd
  Un awr harddach na'r hwyrddydd.

CYWYDD NADOLIG

Dim ond seren wen yn nos
Y dwyrain wedi aros
Yn isel, a chamelod
Y doethion hyd yno'n dod.

Dim ond bugeiliaid y maes
Yn eu hunfan ar henfaes
Yn gwylio gyda'i gilydd
Am ddyfodiad toriad dydd.

Dim ond rhyw hen feudy mall
Yn eira noson arall,
A myn ac asyn ac ych
Yn crensian y gwair crinsych.

A dim ond cri babi bach
A'i deulu yn ei dolach;
Ond ni bu dyn o'r funud
Honno'r un fath, na'r hen fyd.

BWRDD (BORD)

Y gamp i Fatthew a'i giw – yw taro
Mewn un toriad clodwiw
Gydag ergyd gywirgiw
I'w chewyll hi y chwe lliw.

NEITHIWR

Roedd hi'n noson wael o ran tywydd. Yn oer, yn arw, yn wlyb. Y math o noson y bydd y bocs yn eich cynghori i beidio â thrafaelu os nad oes rhaid, a'r afonydd yn torri mas fan hyn a fan draw, a'r hyn y maen nhw'n ei alw yn 'structural damage' yn beryg mewn ambell fan.

Mewn gair, y math o noson y mae hyd yn oed *Neighbours* a'u tebyg yn edrych yn syniad go lew. Unrhyw beth, yn wir, yn hytrach nag wynebu lonydd cul cefn gwlad a brigau'r coed yn sarn o glawdd i glawdd a chyllell y weiper yn ddigon i godi'r bendro arnoch chi a'r ffenest yn stemio'n gorn faint bynnag o awel gaiff hi.

Ond mewn rhyw Fodlondeb neu Hafan yn rhywle byddai yna ddisgwyl mawr yng nghlydwch gwres canolog y lolfa. Deg neu ddwsin efallai, o gleients ('dyn nhw ddim yn henoed bellach) wedi cael ar ddeall gan y staff bod rhyw awr o adloniant yn eu disgwyl. Rhywbeth i dorri ar undonedd dydd i ddydd eu bodolaeth. Hynny yw, y rhai fedrai ddeall hynny.

Byddai Metron (neu'r OIC fel y mae cywirdeb gwleidyddol yn ei galw bellach) wedi dod yn ôl i'w gofalaeth wedi iddi hen orffen ei shifft swyddogol am y dydd i groesawu rhyw barti amatur neu'i gilydd. A nifer o'r staff wedi aros ymlaen yn wirfoddol i baratoi'r baned-a-brechdan arferol.

Cangen leol Merched y Wawr neu'r W.I. efallai, cymdeithas capel neu aelodau o gôr meibion, plant ysgol gynradd gerllaw neu unigolion wedi'u hamlygu'u hunain ar lwyfannau eraill. Pam maen nhw'n dal i ddod, sgwn i? Ond fel y dywedodd un ohonynt – pam lai?

Gair bach o gyflwyniad gan gadeirydd Cymdeithas Ffrindiau Cartref Fel a'r Fel ac i ffwrdd â ni. Deg neu ragor o wragedd fferm, nyrsys wedi ymddeol, athrawesau, mamau a neiniau – pob amrywiaeth yn wir, yn cyflwyno hen ffefrynnau eu cynulleidfa. Emynau gan fwyaf, neu ambell adroddiad a chân oedd yn boblogaidd slawer dydd. Achos ar noson o'r fath y peth pwysicaf yw bod y gwrandawyr yn medru ymuno â'r sawl sy'n perfformio.

Dim 'Sh . . . perffaith dawelwch os gwelwch yn dda' na 'Caewch y drysau' na dim o'r fath. Yn hytrach 'Canwch gyda ni'. Ac fe wnaent hefyd. Neu o leiaf fe welech y gwefusau'n anadlu geiriau Dolwar Fach a Phantycelyn yma a thraw. Pwy oedd yn diddanu pwy, ys gwn i?

A'r hen blant. Miss wedi bod wrthi ers misoedd yn eu paratoi ar gyfer rhyw steddfod neu gyngerdd yn rhywle ac yn dal ar y cyfle i gael practis ecstra, achos llwyfan yw llwyfan ble bynnag y bo. Rhaglen raenus, gaboledig, cyn agosed i broffesiynol ei safon ag y gall adnoddau prin ysgol wledig ei gwneud. Nid bod y gwrandawyr yn poeni dim am hynny, cofiwch. Lladd dau dderyn, yntê? Neu hyd yn oed fwy.

Welwch chi hwn'co'n dod i fewn drwy'r drws yn gynnar y prynhawn? Roedd rhuban glas am 'i wddwg heb fod fawr o amser yn ôl. Digwydd galw, meddai ef. A chithau'n gwybod yn iawn mai dwgyd dwyawr i ffwrdd o'i waith wnaeth e. Ond fe fydd Lausanne a phethau o'r fath yn swnio lawn cystal â phetai'n canu ar lwyfan Neuadd Dewi Sant.

A'i bartner yn cyrraedd heb gyfeilydd. Ond beth yw'r ots am hynny? Gair bach neu ddau â hen gydnabod neu berthynas o'r dyddiau gynt 'for auld lang syne' a phennill neu ddau di-biano o ryw hen faled. A'r ddau'n teimlo'n well o'r herwydd.

Oedd, roedd hi'n noson wael neithiwr. O'r tu allan. Ond y tu mewn yr oedd y trydydd mileniwm yn gwneud 'y pethau bychain' a bregethwyd slawer, slawer dydd. A rhag ofn na fydd gair o ddiolch na gwerthfawrogiad yn ymddangos yn unman arall, i adleisio RWP, 'Gyfeillion, dyma fo'.

AR DDADORCHUDDIO COFEB JACOB DAVIES

Mae 'na ryw duedd ynom fel dynoliaeth
I roi ar bawb ryw lebel bach cyfleus.
Jacob, yn ôl y Beibl, oedd y breuddwydiwr
Ac Esau 'a lafuriai yn y maes'.

Mae un, efallai, gennym yn ddigrifwr,
A'i frawd yn ddwys, yn athronyddu'n gall,
Neu ar yr asgell dde neu'r chwith wleidyddol,
Fel pe na fedrai un ddim bod y llall.

A champ i neb gael gwared ar ei lebel
Wedi iddo unwaith gael y gair,
Ond pam na ddylai'r pulpud feddu hiwmor?
Pam lai offrymu gweddi ar gae ffair?

Diolch i'r Esau yn y Jacob hwn
Am brofi fod rhyw rai yn undod crwn.

PARADWYS

Aredig yw paradwys,
A rhoi camp ar dorri cwys
Wastad yn sgleinio drosti
A rhoi'i chrib ar ei chwaer hi,
A'r môr o wrymiau eraill
Ymhlyg mor debyg â dail
Llyfyr o ddeutu'r hen ddôl
Yn union, anwahanol,
Yn raenus gefn a grwn sgwâr
Hyd oleddf pell, a'r dalar
Yn gŵys ar gŵys am y gwaith
Yn ei orffen yn berffaith.

Englynion a ysgogwyd gan ymadroddion rhai o feirdd y Talwrn

BWGAN BRAIN (*Huw Erith*)

Fel 'tai'n rhyw dduw wele ddyn – ar adar
Yr ŷd yn troi'n ddychryn,
A chreu yn fwbach rywun
I wylio'i faes fel fo'i hun.

BWGAN BRAIN (*Alun Emanuel*)

Y sgôr yw rhesog erwau – ir yr ŷd,
A'r brain ydyw'r nodau,
Y gwynt yw'r cord, ac yntau
Yn arwain côr yn y cae.

LLINACH (*Enid Baines*)

Â'r hen bâr mae'r un boeriad – o'i wên swil
I'w wegil a'i lygad,
Mae, o deip ei fam a'i dad,
Y babi yn ailbobiad.

BWRW'R BAI (*Dic Goodman*)

Wedi'r wledd a chyfeddach – y botel
A bwyta pob sothach,
Ci rhech oedd dull y crachach
O roi'r bai ar gr'adur bach.

AR Y FFIN (*Einion Evans*)

I rwystro llif yr estron – fe wyddom
Fod rhyw weddill ffyddlon
Sydd fel wal yn dal y don
Ar y ffin yn Nhreffynnon.

BEN

'Jecôs', rwy'n credu, fyddai'r gair gorau i'w ddisgrifio. Hyd yn oed ar ei wely angau, a'r ffenestri wedi hen dywyllu a sŵn y malu'n isel, ni ddôi gair o gŵyn dros ei wefus. Felly y bu erioed. Cysurus yn ei fyd waeth sut fyddai'r byd hwnnw. A hynny dros ddeuddeg a phedwar ugain o flynyddoedd.

Gwladwr o'r hen deip. Stacan o gorff cadwrus hytrach yn warrog efallai, a'i draed yn solet yn y tir. Ei gap stabal ychydig ar slent dros ei glust dde a'i fawd yn fforch pastwn collen a chi defaid yn llyfedu wrth ei sawdl. Yn wir, gallech dyngu mai ef oedd y model ar gyfer rhai o bortreadau enwog yr artist o Aberteifi.

Ar ei aelwyd fe'i gwelech yn pwyso'n ôl yn braf yn ei gadair, ei law chwith yn dwyloli'r cetyn yn ei geg a'i law dde, cyn amled â pheidio, yn magu gwydraid o rywbeth cryfach na dŵr. Towlu gair neu ddau i'r sgwrs yn awr ac yn y man pan fyddai ganddo rywbeth o sylwedd i'w ddweud. Tynnu'n hamddenol ar y bib pan na fyddai.

Cymydog gyda'r gorau a glymodd garrai esgid erioed. Y cyntaf â'i bicwarch ar gae medi neu ydlan ddyrnu, a'r olaf i droi o glos cyfaill ddiwrnod tynnu tato. A phan adawsom ni fel teulu'r hen gartref dros ddeugain mlynedd yn ôl doedd neb ar wyneb daear y bu'n well gennym ei weld yn cymryd drosodd nag ef a May. Yn wir, o ran cynhesrwydd croeso teimlem nad aethom oddi yno erioed.

Wn i ddim ble'r oedd Ben arni'n wleidyddol, na phle y torrai'i groes ddydd etholiad. Nis holais erioed. Doedd dim angen. Roedd yn rhyddfrydol yn ei ymwneud â phobl eraill, yn geidwadol yn ei addoliad, yn sosialaidd ddiddosbarth ac yn Gymro ym mhopeth. Ni fedrai fod yn ddim arall. Roedd yn *naturiol* ef-ei-hun.

Gwneud oedd ei gryfder, nid siarad a thynnu sylw. Ond bu ambell berl o'i enau yn ddigon i wneud i mi sylweddoli bod profiad yr oesau wedi cael amser i waelodi yn yr enaid diymffrost hwn. Dwy enghraifft yn unig.

Ef oedd y cyntaf i mi'i glywed yn dweud na thyf y borfa yn y gwanwyn ddim hyd nes i'r Blodau Mis Mawrth ddechrau cilio. Ac nid yw theori amaethyddiaeth fodern y dylem fel ffermwyr ddechrau hau ein gwrteithiau cemegol pan fo'r *T-Sum* yn cyrraedd 200 (beth bynnag mae hynny'n ei olygu) yn gwneud dim ond ategu cywirdeb cred fy hen gyfaill.

Roedd yn broffwyd tywydd gyda'r gorau. Gŵyr pawb yn yr ardaloedd hyn, pan fo'r gwynt yn 'troi mas' (h.y. i chwythu o'r môr – gogledd-ddwyrain, gogledd neu ogledd-orllewin) yn yr haf fod gobaith am dywydd braf. Ond daliai Ben ei bod yn bwysig i ba gyfeiriad y byddai'n troi. Os byddai'n troi mas gyda'r haul (*clockwise*) wel, roedd hynny'n arwyddo'n weddol. Ond os byddai'n mynd mas 'lwyr 'i din' roedd tywydd teg yn sicr o ddod.Y gwahaniaeth rhwng *cyclone* ac *anticyclone* yntê?

Onid Ben hefyd a synnodd y meddyg hwnnw a'i dwrdiai am smocio ac yfed? 'Wyddoch chi ddim fod alcohol a thybaco yn eich gwenwyno chi'n ara bach?' holai'r doctor. 'Gwn,' oedd ei ateb, heb geisio gwneud strôc o gwbl,'ond does dim brys arna i!'

A doedd dim chwaith. Gyda gofal rhyfeddol Julia yn ei flynyddoedd olaf bu fyw'n jecôs tan yr wythnos ddiwethaf. Cyn diffodd fel y bu byw – yn ei bwysau. Yn wir, rwy'n medru dychmygu'r wên ar ei wyneb pe medrwn ddweud wrtho nad marw a wnaeth, ond mynd i ben.

GALWAD

Pan alwai cloch dioddef tu hwnt i'r llenni cau
Fe ddôi angyles heibio heb unwaith ei nacáu.

Pan alwodd cloch drymddwysach ŵr llwytach at ei waith
Gwn nad oedd hwnnw'n dannod ei siwrnai yntau chwaith.

I ELAN
(*yn angladd Roy Stephens*)

Mae'r awen heb ei chennad – y mae mam
O'i mab yn amddifad,
Y mae cymar heb gariad,
Y mae dau yn llwm o dad.

Mae'r Calangaea'n gwywo – tyfiant haf
Yn y tir, ond eto
Mae'r trysor wedi'i storio
Yn llawnder trist cist y co'.

Wylwch am syrthio o'r ddeilen – galarwch
Am glaearu'r heulwen,
Cofiwch yr ha' gyda gwên – gan aros
I alaw'r eos sirioli'r ywen.

YN ANGLA' WIL (*W. R. Evans*)

Y mae 'ma siom, o wês wês – i finne
A Fanw a'r rhoces,
Ma' hwnnw ym mhob mynwes
I gau rhych Wil Bwlch-y-Grwês.

Ma' anaf ar y mini – a ma' whith
O 'ma draw i'r Barri
Bob llathed, a cholled 'chi
A galar pentigili.

Ond ma'i houl e'n dwym o hyd – yn gifoth
O atgofion hyfryd,
Mae'r Nef yn wherthin hefyd,
Lle buo Wil ma' gwell byd.

CAM

(That's one small step for man, one giant leap for mankind)

Yn fudan y cyfododd o gloffrwym twym y tân,
Gan hercian yn ei gwrcwd i'r wal ac ar wahân

I hogi rhyw ddychmygion erioed a wyddai'i fron,
A'r rhaid a'i gwnâi ar brydiau yn lleddf ac weithiau'n llon.

Nes profi rhyw rym dieithr yn fwy nag ef ei hun
Yn araf, araf arwain ei law, a thynnodd lun.

A thyfodd wrth ei wefus rywfodd ymadrodd mwyn
I ddweud ei ddyheadau, ac iaith i leisio'i gŵyn.

Am hynny bu'r cam hwnnw o fewn yr ogof oer
Yn gam mwy nag a gymerth yn llwch pellterau'r lloer.

GWACTER

(Alzheimer's)

Cragen o gorff digyffro'n syllu'n ddi-weld a mud
Mewn lolfa llawen o wacter, mewn byd yn llawn dim byd

I lenwi'r oriau gweigion cyn dilyn plant y llawr
O Fodlondeb ein dinerthedd yn ôl i'r gwacter mawr.

YNYS BREUDDWYDION

(Ellis Island, Efrog Newydd, lle mae enwau'r miliynau o fewnfudwyr a ddaeth i geisio bywyd gwell wedi'u cofnodi ar lechi dur.)

'And this is Ellis Island,' ategai'r llanc â'r siwt grand, gan estyn llaw groesawgar i'n cyfeirio bob yn bâr hyd lwybr eang y gangwe i lawnt rhyw gastell o le. Dwy erw bron o dyrau braf draw ar gwr y dŵr garwaf ei olwg fyth a welwyd, a'i lli oer yn alar llwyd yn erbyn wal yr harbwr.

O fewn dim i fin y dŵr codai tyredau cedyrn o bob uchel gornel gyrn i waelod y cymylau. Arhosai geid wrth ddrws cau'r carchar a dod i'n cyrchu, yna agor y ddôr ddu o'n blaen gan ddechrau heb lol fwrw i'w shbîl arferol.

'Heidio yn ddirifedi yma a wnaent atom ni – gwerinoedd yr ymgreinio oherwydd eu ffydd, ar ffo o'u tlotai, a rhai truan y ddaear o bedwar ban. Plant cyni'r cyfandiroedd a'r rhai heb lais i roi bloedd, yn dod â'u dyheadau brith a'u gobeithion brau i dir rhyddid i wreiddio.'

Dygai ei gwt gydag o, ond mor anodd oedd goddef ei ddrôl fain amhersain ef yn rhoi'i lith, a'r awel lem fel raser fel yr ysem am rywrai a gaeai'i geg.

Ar ruthr di-daw ei rethreg ein hanfon yn yrr synfawr draw o'r lloc i gaer dri-llawr arddangosfâu'r creiriau. Criw o orielwyr amryliw yn syn o flaen darluniau a hen brint llythyron brau. Hetiau a mân betheuach o waelod bag rhyw dlawd bach, a'r pytiau offer pitw oedd yn dipyn iddyn nhw. Rhywun yr oedd perthyn pell yma wedi ei gymell yn nabod rhai wynebau ohonynt, a'r hynt yn parhau.

Yna'n haid ymlaen â ni i le câi'r sâl eu croesholi (yr oedd wrth reswm yn rhaid gwahanu'r cryf a'r gweiniaid ar long, rhag i unrhyw lid hydreiddio Gwlad y Rhyddid). Tri gwarchodwr milwrol a'u hollbwysig rigmarôl fan'ny rhag drysu o'r drefn ag unrhyw ffws nac anhrefn, ac nid oedd – mwy nag oedd gynt – heb ei wn neb ohonynt.

Ysbaid arall ac allan eto i'r lawnt ar y lan, a phlaciau'r enwau yn rhes yno yn adrodd hanes y rhai a ddaeth yn eu tro ar fordaith obaith, heibio i'r ddelw â'r ddeheulaw â'i lamp yn olau uwchlaw. Yn rhydd i nyddu breuddwyd, yn rhydd i wingo'n ei rhwyd.

PONT

Mae'r ddau mewn masgal cneuen
o gwch bach, ac uwch ei ben
y mae pâr o adar hud
yn hofran uwch rhyw hyfryd
ynys bell, a thros y bont,
wrth uchelbarth ei chilbont,
ddau hŷn wedi dod i ddal
y ddau ieuanc i ddial
gwarth eu dod gwrthodedig
i gadw'r oed dan goed gwig.

Dau elyn o ddau dylwyth,
ond yn eu llid yn un llwyth.

Mae lle i'n holl gymhellion ni
ar bentanau'r bont inni,
a dihareb o'r Dwyrain
yn stôr yn hen lestri Nain.

MAS O DDAT

"Nid yw bardd ddoe yn ennill coronau heddiw."
(*Un o feirniaid y Goron yn Eisteddfod Llanelli*)

Cân di dy hen benillion a'th dribannau
I lonni'r 'rinclis' yn y Babell Lên,
Ond paid â mentro'u dangos yn y mannau
Lle mae coronau i'w cael – maen nhw'n rhy hen.

Cân di dy bennill telyn a'th delyneg
Er mwyn i gyw-ddoethuriaid ennill gradd
Am studio'u hadeiladwaith yn y coleg,
Ond paid â'u gyrru i'r Steddfod ar dy ladd.

Aeth seinberusrwydd mwy yn anffasiynol.
Nid yw barddoniaeth gyfoes yr un siap,
A'r digonfensiwn nawr yw'r confensiynol
Heb fawr o neb ac arno ond rhyw grap.

Felly na ddwg dy fydrau pert i'r sioe,
Pa ennill coron heddiw ag awen ddoe?

Y CEL DU

Deunaw llaw, bron dunnell oedd,
A Sadwrn Barlys ydoedd.
Crynai tref i'r carnau trwm,
Yntau yn ei fomentwm
Yn rhingyll o farch ffroengoch
Yn berchen y garden goch,
A hen wŷr yn gweryru
Eu clod o weld y Cel Du
Ar hyd y stryd yn rhedeg,
A mi nid own namyn deg.

Ei glustiau pigloyw, astud,
A'i got yn goronau i gyd.
Eboni byw ei ben balch,
Gawrfil yr osgo warfalch,
A'i gal fawr yn glafoeri
Wrth droi'n ôl i'n heol ni.

Yna fel llun yn pellhau
Dalidod y sŵn pedolau
Pan aeth heibio i dro'r stryd
A chilio'n ddiddychwelyd.

GWAS FFARM

Roedd hi'n Ffair G'langaea ddoe, ond doedd Jac ddim yno. Yn ei ddillad gorau a'i gap ar slent yn swancan ei ffon goron, yn chwedleua â hen gydnabod, yn crwydro o stondin i stondin, yn 'nelu pêl at goconyt fan hyn a gordd i daro'r gloch fan draw ac yn gwneud . . . wel . . . beth bynnag arall y mae gweision ffermydd yn ei wneud mewn ffair!

Yn gorfforol fe allai fod yno'n iawn. Fel y bu laweroedd o weithiau o'r blaen. Ond mae'r maglau, ys dywedodd Ifan Jenkins, bellach yn dechrau 'llithro oddi ar y gweill'.

Mae'n rhaid ei fod wedi bod yno lawer gwaith, 'nôl yn y slawer dydd pan oedd hi'n ffair gyflogi, pan oedd ffeiryn yn rhywbeth mwy na'r sothach ffrit o deganau plant sydd yno'n awr – yn set o lestri te, efallai, neu'n jwg gopor i'w rhoi ar seld. A phan oedd ei gof yntau yn sicrach na'i ddychmygion.

Achos bu'n gwasnaethu, yn ôl ei dystiolaeth ef ei hun, ar gymaint â chwech ar hugain o ffermydd y broydd hyn yn ei amser. Ond rywfodd, er amled ei ffeiriau cyflogi, ni ddaeth i ben â ffeindio gwraig yn yr un ohonynt. A storwsydd gwahanol ffermydd fu'i lety gydol ei yrfa.

Mae'n rhaid mai ef yw bron yr olaf o'i deip. Yn pontio oes y ceffyl ag oes y tractor. Ac fel llawer o'r teip hwnnw, ni fedrodd erioed gymryd yn hollol at y fecanyddiaeth newydd. Ond rhowch chi gaib a rhaw yn ei ddwylo, neu gryman neu raca fach neu bâl, ac nid oes ei debyg ymhlith y crymffastiaid ifenc sy'n codi heddiw. Mae'r Roial Welsh yn anrhydeddu ambell hen was ffarm sydd wedi bod ar yr un lle am hyn a hyn o flynyddoedd, piti na welsai ei ffordd yn glir i anrhydeddu un a wasnaethodd blwyfi cyfan.

Ni chododd ei ddyheadau erioed yn uwch na phridd y fferm y digwyddai fod yn gwas'naethu arni – ei phridd a'i phraidd a'i phobl. Yn wir, gallai Thomas Gray fod yn cyfeirio'n uniongyrchol at Jac pan ddywedodd . . . 'their sober wishes never learnt to stray'.

Rhannodd o leiaf chwe bwrdd ar hugain yn ystod ei yrfa. Ac yn ôl natur pethau mae'n rhaid fod rhai o'r chwech ar hugain hynny heb fod mor hael â'i gilydd. Wedi'r cyfan, gwelodd y blynyddoedd main rhwng y ddau ryfel, a'r torri wy yn ddau a'r bara caled a'r cawl tenau. Ond, torred y cart lle torro, ni chaech chi Jac i ddweud gair yn erbyn un ohonynt. Roedd bod yn driw yn grefydd ganddo.

Dilynai hynt a helynt y degau o blant a eisteddodd ar ei lin o flaen tanau gyda'r nos aelwydydd ei fabwysiad yn fanwl, ac yr oedd – y mae o hyd – yn awdurdod ar gymhlethdodau priodas a pherthnasedd a mynd a dyfod eu llinachau.

Yn swyddogol, ymddeolodd ers sawl blwyddyn. Ond bu'r hen feic hwnnw, tan yn ddiweddar iawn, a'r rhaw loyw a'r cryman miniog wedi'u clymu wrth y bar, ar ei daith feunyddiol i wahanol erddi'r gymdogaeth. Achos dyw hamdden ddim yr un peth yn union â segura.

Cwrdd â chydnabod, glasiaid yn awr ac yn y man a chlonc am dywydd a chreadur, a dwyloli'r hen bridd – gobeithio'n wir y bydd digon o'r maglau'n aros iddo fwynhau hynny am beth amser eto.

Y FFYRGI FACH

Heddiw fe'i diorseddwyd – ar y maes
Cewri mwy a welwyd,
Ond yng ngafael sawl aelwyd
Annwyl iawn yw'r gaseg lwyd.

I'r maes os daeth grymusach – tractorau
I'w cytiroedd mwyach,
Rhywfodd daw dyddiau brafiach
I gof o weld Ffyrgi Fach.

YNG NGHANOLFAN Y DECHNOLEG AMGEN, PANTPERTHOG

Yn ein cwyno a'n cynnen – awn yn ôl
At Dechnoleg Amgen
Ryw ddiwrnod rhag i goden
Addod y byd ddod i ben.

Yr haul nid yw yn treulio – ar ei gwrs,
Na'r gwynt yn diffygio,
Ac nid yw'r teid yn peidio
Chwarae â'r graig a chreu'r gro.

Yn ein newyn anniwall – mae helynt
Ein hymelwa cibddall,
Nid yw, er maint ein deall,
Adnoddau byd yn ddi-ball.

Y dewis yn y diwedd – yw hwnnw
Rhwng llawn a gormodedd,
Digon neu afradlonedd,
Daear lom neu westy'r wledd.

MYFYRION DECHRAU BLWYDDYN

Pan fo'r gorchwyl wedi'i orffen
Mae'r seguryd hwnnw'n hamdden,
Ond heb orchwyl mwy i'w gymryd
Y mae'r hamdden yn seguryd.

Clywais ddwedyd fod cymwynas
Wedi marw mewn cymdeithas
Ac os gwir rwy'n ofni'n arw
Fod cymdeithas wedi marw.

Rywbryd i bob un fe ddigwydd
Iddo edrych dros ei ysgwydd,
Ond pan wnelo hynny, cofied,
Ag un llygad bydd yn gweled.

Gwneud adduned ar Ddydd Calan,
Cadw hi i ti dy hunan
Fel pan dorri di hi drennydd
Na bo pawb yn gweld dy g'wilydd.

DRANNOETH Y FFAIR
(NEU TATEN BOB)

A dyma ni unwaith eto, fel y byddem yn blant slawer dydd, allan ar y ffordd fawr yn gwylio loriau'r ffair yn mynd heibio ar eu ffordd i'r ffair nesaf. Rhai o'r strôcs hynny a dorasom ddoe yn edrych dipyn yn wahanol yng ngolau dydd heddiw, a pheth o'r hwyl ac arno dipyn bach o flas cywilydd efallai. Bu ennill cariadon newydd a cholli'r hen, ac mae swllt yr ern wedi'i hen wario. Ond i ble'r aeth y pysgodyn aur a'r tedi bêr a roisom yn ffeiryn i ryw wedjen-dros-dro? Ac i ble'r aeth y ffon rot-a-dimai honno a gawsom ninnau ganddi hi?

Dacw'r lori enfawr honno a cheir bach y *dodgems* wedi'u pacio'n dynn arni. O leiaf, DODGE-EMS oedd yr arwydd a sgrechiai'n groch arnom o dalcen y stondin, ond taro'n gilydd â'n holl nerth a wnaem ni – roedd hynny'n fwy o hwyl rywsut, ac yn fwy *macho* hefyd. Ni ddaeth pawb ohonom allan ohoni'n llwyr ddianaf. Ond mae'r clais eisoes yn dechrau melynu.

A dacw lori'r bwth bocsio. Lle buom yn ddigon ffôl, dan effaith iwfforia'r funud (a rhywbeth bach tipyn cryfach, efallai) i drio sefyll pencampwr y bwth am dair rownd. Roedd balchder yn gofyn hynny. Hanner y dorf am ein gweld yn llwyddo, a llawer o'r lleill yno i'n gweld yn methu. Diflannodd pres y fuddugoliaeth fel mwg, ond mae'r llygad du yn aros yn fathodyn i'n methiant hefyd.

Sgwn i p'un yw lori'r gŵr hwnnw a fyddai'n sgrechian TRY YOUR STRENGTH dros bob man, a'r ordd enfawr honno y buom yn ymegnïo ymhell tu hwnt i'n galluoedd arferol i ganu'r gloch â hi? Rhai ohonom wedi deall y nac o lwyddo hefyd. Ac nid y cryfaf yn ein plith bob tro, chwaith. A'r cyfan yn y gobaith o ennill sylw rhyw lanc neu lances o'r plwy nesaf.

Mae'n ein pigo erbyn heddiw i ni gymryd ein twyllo gan heip y stondinwyr a'n newyn ni ein hunain i brynu'r daten bob honno am ddwybunt. Na, nid ein newyn yn hollol chwaith. Ein trachwant, efallai. Achos go brin y byddem wedi llwgu pe na baem wedi bwyta o gwbwl drwy'r dydd. A'r diawled yn deall ein gwendid i'r dim, ac yn manteisio arno. Dwybunt! Am un daten! A rhai ohonom efallai wedi bod allan yn y cae y bore hwnnw ar bob math o dywydd yn pigo canpwys o dato na chaem ni fwy na phumpunt am y cydaid cyfan! A hynny ar ôl tua thri mis o aredig, gosod, gwrteithio, chwynnu a thendio. Dwybunt! Pan nad yw'r rhan fwyaf ohonom yn ennill mwy na phedair punt am awr o waith – a bwrw bod gennym waith o gwbwl. Mae synnwyr o bopeth. Ond mewn ffair, mae'n rhaid.

Ond wedyn, ond wedyn. 'Nid ar fara yn unig . . .' ys dywedai'r Stondinwr arall hwnnw. Nac ar dato pob chwaith. Mae rhywbeth yn ddwfn yn ein henaid, yn ein *psyche* fel dynoliaeth sy'n dweud wrthym mai'r unig beth all ein cadw i fynd rhwng un ffair a'r un nesaf yw'r cof, yr adflas, am yr hwyl a gawsom yn hon. Bydd yr hen Gae Ffair yn edrych yn ddigon diflas mi wn, ond,

Er nad yw ond darn o dir – yn y maes
Mae hwyl nas anghofir.
Haen o fwd ar y feidir,
A'r cae yn wag, a'r co'n hir.

CYHOEDDODD MR JOHN PRESCOTT *COUNTRYSIDE INITIATIVE* ARALL

Y tir yw banc cynta'r byd,
a'r haul yw stôr ei olud.
Nid ein holl farsiandai ni
na'r set sy'n llywio'r *City*.

Heddiw'n ddi-hid o'i waddol
llon ei fyd yw'r llawn ei fol,
yn 'hei leiff' ei wyliau haf
yn digwntio'r grefft gyntaf.
Ni chyfrif moes yr oes hon
yn neb ei Alun Mabon.

Ni chwennych ef ddim chwaneg
na rhoi i'r tir chwarae teg
a pharch i braidd a'i pherchen
a byw, â rhywfaint dros ben
i roi'i gyw i barhau gwaith
yr olwyn eto'r eilwaith.

Beth fydd tynged y gwledydd
maes o law, pan ddaw yn ddydd
i drueiniaid yr anial
a thir swnd y llethrau sâl
flino dygymod â'n gwêr
yn Rwandas eu prinder?

Cyn bo hir, yn nhir fy nhaid,
erwau wast i dwristiaid
a fydd, heb ffosydd na pherth,
a'r hen ddaear yn ddiwerth.

Nid tosturi i ni, er neb.
Nid cardod ond cywirdeb.
Ac nid rhethreg ond tegwch
i rôl oesoesol y swch.

TRIBANNAU AR ADNODAU

Duw cariad yw.

Tri gair oedd gynt yn ddigon
I'w cofio i blan'crynion,
A digon fyddent hwy o hyd
Petasai'r byd yn fodlon.

Da yw Duw i bawb.

Rwy'n siŵr fod Duw'n cael ffwdan
I gofio pennod gyfan,
A dyna pam, rwy'n credu, fod
Ei adnod Ef mor fychan.

Cofiwch wraig Lot.

Os yw byw tali'n bechod
A 'sgaru'n arfer parod,
Mae yna blant o Fôn i Sblott
Sy'n falch bod Lot yn briod.

Yr Iesu a wylodd.

Fe aeth fy llais yn gruglyd,
A 'mrêns yn pallu symud,
A dyna pam, 'run fath ag E,
Yr wylais inne hefyd.

Myfi yw'r Bugail Da.

Rhwng lluniau'r deiaconied
Ym mysg yr anifeilied,
Mae'n rhaid Ei fod yn fugail da
I'w dala heb gi defed.

. . . Oddieithr eich gwneuthur fel plant bychain . . .

Cyn bod y fflam yn diffodd,
Pe medrwn eto rywfodd
Drwy lygad plentyn weld y byd
Fe fyddai i gyd yn nefo'dd.

DAMEG

Yr oedd unwaith blwyf ac ynddo dri chae yn ffinio â'i gilydd. Ca' Mowr, Ca' Llai a Cha' Bach. Yn y cyngor plwy Siors Ca' Mowr oedd fynycha'n siarad, a Mac Ca' Llai a Dai Ca' Bach yn gwrando. Achos roedd gan Siors fwy o dir, mwy o anifeiliaid a mwy o gyfoeth. Peth ohono nad oedd neb yn rhyw siŵr iawn o ble'r oedd wedi dod.

Doedden nhw ddim yn rhyw gyfeillion mynwesol iawn – rhyw ffrindiau dros glawdd, fel petai – ond pan fu sôn unwaith neu ddwy fod plwyf arall am eu cymryd drosodd, chware teg i Mac a Dai, safasant gyda Siors i'r carn.

Ond fel yr oedd Siors yn ei ddweud roedd pethau i fod. Ef fyddai'n penderfynu pryd i ddechrau aredig a hau a chynaeafu, ac yn y blaen. Er ei fod yn ddigon balch o Ga' Bach i gael dŵr i'w anifeiliaid ohono, ac i droi ei 'swynogydd i bori yno i orffen eu dyddiau, neu i'w blant fynd i chwarae yno pan ddigwyddai'r haul fod allan.

Dipyn yn garegog a garw oedd rhannau o Ga' Llai hefyd, gyda thipyn go lew o ysgall mewn mannau eraill. Ond wrth gwrs, gwyddai Siors mai arwydd o dir da yw hynny. A pheth arall, roedd yn dir hela bendigedig.

Felly, cyhyd â'u bod hwy eu tri yn fodlon ar bethau fel yr oeddent, aeth pethau ymlaen yn o lew rhyngddynt.

Ond o dipyn o beth dechreuodd Mac a Dai feddwl yr hoffent ail-droi eu caeau hwy – eu haredig i 'newid eu crofen'. Dai i gael ailhadu â thrasau newydd, cnydfawr Aberystwyth, a Mac i gael defnyddio cynnyrch diweddaraf McGill. Achos roedd y gwndwn yn hen a'i gynnyrch yn lleihau o hyd. Ac roedd yno beth chwyn yn tyfu'n ogystal, a'u had wedi chwythu drosodd o Ga' Mowr.

Bu Mac a Dai am hydoedd yn pendroni p'un ai i fynd ynghyd â hi ai peidio, a Siors, chwarae teg iddo, yn caniatáu iddynt y dewis – ar yr amod nad oeddent yn codi ffensys i wahanu'r plwyf.

O'r diwedd aeth Mac â'r aradr allan cyn belled â bwlch y cae, ond methodd â chael digon o hyder i dorri'r gŵys gyntaf ac aeth â hi'n ôl i'r cartws. Tra oedd Dai, druan, yn methu dod o hyd i'w aradr ef. Roedd gormod o rybish drosti – hen gatiau sinc a sgrap o bob math a llwch difaterwch y blynyddoedd.

Ac felly y bu pethau am ryw ugain mlynedd. Mac yn mynd allan i'r cartws bob rhyw hyn a hyn i oelio'r ardd – jyst rhag ofn (roedden nhw newydd ffeindio olew ym mhen ucha Ca' Llai), a Dai o leia wedi dod o hyd i'w aradr ef. Unwaith neu ddwy aeth hyd yn oed cyn belled â'i thynnu allan i'r clos. Ond yn ôl yr aeth bob tro.

Nawr roedd Dai yn galw heibio i Mac bob rhyw ddwy flynedd a chrys coch amdano a'r ddau yn cael hei leiff gyda'i gilydd. A Dai yn cadw llygad ar Mac yn paratoi'r arad. Ond roedd yn ffaelu'n lân â magu'r awch i ddechrau 'redig ei hunan, serch hynny. Wedi'r cyfan roedd ei dir ef dipyn yn hŷn a byddai felly'n dipyn mwy gwydn i'w droi.

Yna, tua hanner mis Medi ryw flwyddyn, dihunodd Dai un bore a thowlu llygad allan drwy'r ffenest wrth dynnu'i drowser amdano. Roedd rhywbeth yn symud yng nghornel Ca' Llai! Arad, myn hyfryd i! Ond bachan bore fu Mac erioed. Neidiodd Dai i lawr y steire ddwy ar y tro ac allan i'r clos heb hyd yn oed wisgo'i cap a draw ag e i edrych dros y clawdd ffin i wneud yn siŵr. Roedd cwys goch yn rhedeg fel saeth o un pen o Ga' Llai i'r llall.

'Mari!' gwaeddodd ar ei wraig, nes bod hyd yn oed Siors Ca' Mowr yn medru clywed. 'Mari, edrych fan draw! Ma' Mac yn 'redig. Rwy'n mynd mas â'r arad fory!'

* * *

Ydych chi 'rioed wedi sylwi mor aml y bydd hi'n bwrw ar ddydd Gwener? A glawio'r oedd hi'r bore hwnnw pan benderfynodd Dai, yn betrus iawn, fwrw iddi i ddechrau 'redig Ca' Bach.

Roedd Mac wrthi ers rhai diwrnodau, a Siors Ca' Mowr, er yn ddigon dismolus o ymdrechion Mac yn aml, erbyn hynny'n dechrau rhyw feddwl efallai y byddai'n burion peth iddo yntau droi ambell ddarn o'i gae ef. Roedd rhannau o hwnnw, yma a thraw, yn ddigon dilewyrch. Ac wedi'r cyfan, wnâi hi ddim o'r tro iddo ef gael ei adael ar ôl gan ei gymdogion llai.

Ond er gwaethaf gwlybaniaeth y bore, doedd y glaw ar wegil Dai ddim llawn mor wlyb, rywsut, a'r awel fel 'tai lawn mor fain ag arfer. Rhyfedd fel mae'r rhyddhad o wneud penderfyniad yn codi calon dyn.

Roedd Mari'r wraig a rhai o'r plant wedi'i ddilyn i fwlch y cae ac yn ei hysio 'mlaen ond digon anodd fu ganddo gael yr hen iet i agor. Roedd ei bachau wedi rhydu'n arw, a'i hen golyn heb ei ryddhau ers cymaint o amser. O'r diwedd, wedi llawer hwi a hai (a rhai geiriau mawr, mae'n rhaid cyfaddef) llwyddodd i'w gwthio'n ddigon cilagored i wthio'r arad drwodd. Arad bedair cwys, wrth reswm, achos roedd Dai'n ddigon modern ei agwedd.

Ac aeth hwrê fawr ymhlith y teulu, wrth gwrs. Roedd yn ddydd o lawen chwedl, serch bod Siors yn sbecian dros y clawdd a rhyw wên fach ddigon dilornus ar ei wyneb yn fynych.

'Redig yn unffordd oedd bwriad Dai (fel na byddai na rhych na chefen i amharu ar wastadrwydd y cae pan orffennai) gan ddechrau wrth y clawdd ffin rhyngddo ef a Cha' Mowr. Gollyngodd swch i dir a chychwyn yn ara bach, bach gyda'r clawdd.

Digon anodd oedd hi'n y fan honno. Dim llawer o ddyfnder daear, cerrig bôn clawdd a gwreiddiau drain yn ymwthio allan ymhell i'r cae. A'r rheiny'n sbwylio golwg ei gŵys, a'i briwio'n druenus mewn ambell fan. Ac at hynny, doedd y pedwar castin heb loywi'n iawn, gyda'r canlyniad bod un, yn awr ac yn y man, yn tueddu i godi un gŵys dros grib y llall.

Ond yn ei flaen, yn ddigon herciog mae'n wir, yr âi Dai. Unwaith neu ddwy bu bron iddo stopio'n gyfan gwbl, ac ambell 'bisyn gwlyb' o fewn dim i fynd yn drech nag ef a'i ddiflasu'n ddigon i roi'r gorau iddi.

Yna câi ryw ail wynt o rywle, ac ymlaen wedyn. Symud lifar fan hyn, newid y clust fan draw, ailsetio dyfnder a lled, a'r cwysi'n gwella, gwella o hyd. Dros fannau bas lle byddai'r arad yn tueddu i falcio a thrwy fannau dyfnach lle'r oedd peryg iddi foddi, a'r dalar yn nesu'n raddol. A chyda phob llathen roedd yr arad yn gloywi rywfaint a'r cwysi'n gorwedd ychydig yn fwy wrth ei fodd.

O'r diwedd, o'r hir ddiwedd, dyma gyrraedd y decllath olaf. Y decllath hawddaf a'r graenusaf o'r cwbl. A chyfle i dowlu llygad yn ôl o un dalar i'r llall. A gweld bod dwy neu dair gwylan yn hofran fry, fel y byddant bob amser, wedi synhwyro rywsut bod aredig ar droed. Ymhen dim gwyddai y byddai yno gannoedd. A gwyddai hefyd na fedrai'r arad wneud dim ond gwella yn ei gwaith.

Y TRYDYDD AR DDEG

O'u mewn eu hamau eu hunain – a wnaent,
Yna un gan lefain
A aeth o'r Ardd o blith 'rhain
I'w grogi am ddeg ar hugain.

GREDDF

Yn ei ddydd os oedd Adda – yn Eden
Yn ddedwydd ei wala,
Fe aeth ef i fethu â
Bihafio – a beio Efa.

YR HEN SUL CYMREIG

Yr oedd parch i ryw Dduw pell – a thwrf aruthr
Y Farn heb fod nepell
Yn nyddiau pregethau gwell
Gweinidogion y dagell.

Wedi caledi'r Sadwrn – yr oedd hwyl
Ar y ddawns a'r talwrn,
A'r byd yn ysgwyd llosgwrn
Cyn i Dduw ein cau'n ei ddwrn.

GOFYN IAWNDAL

A'r BSE yn dial
Geni buwch yn ganibal
O'i llynnoedd glwth lluniodd gwlad
Gamwri o gamgymeriad.

Lladd da er mwyn llwyddo dêl
Gwŷr breision Lloegr a Brwsel.
Rhoi ar dân yr eidionnau
Ar hufen tir fu'n tewhau,
Ac o rynnau caeau'r cwm
Aeth heffrod yn boethoffrwm
A'u lloi hwynt, fel difa llau,
Heb geulo o'u bogeiliau.

Hebddynt hwy byddai ein tir
I'w weld yn un anialdir,
A ni heb gaws a heb gig;
Lloi Ewrop yw'r rhai lloerig.

Gan eu bod yn ddigon balch
O estyn buwch yn astalch
I gynnal eu bargeinia
Dylai dyn gael iawndal da.
Ond pwy a rif gôd y pres
Yn niwrnod y ffwrnes?

Nid yw na siec nac Eciws
Edifarhad o fawr iws
A'r cae'n wag. Dyw'r ceiniogau
O un gwerth a'r iet ar gau.

DISGWYL

Pan dynnwyf f'anadl olaf
(Efallai'n naw deg oed),
A fydd yr eiliad honno
Yn dod ar drymach troed
Na'r tragwyddoldeb wrth wneud mistêc
A gwasgu'r sbardun yn lle'r brêc?

Pan fydd (yn ôl a glywais)
Yr yrfa i gyd o'm blaen,
Ei gorchest a'i chywilydd
Fel stribed ffilm ar daen,
Fydd yna fys ar fotwm slei
Y 'Pause', 'Fast Forward' a'r 'Replay'?

A fydd yr ennyd honno
Pan dderfydd cur a chroes
(Y bûm yn ofni disgwyl
Ei dyfod drwy fy oes)
A'i Dies Irae'n hwy yn dal
Na'r feicro-eiliad cyn taro'r wal?

TOMI TRÊN

Doedd paratoi i lanio ym maes awyr Stuttgart yn cyffroi fawr ddim arno. Tra gwasgai'r gweddill ohonom at y rhes ffenestri i gael ein cip cyntaf o'r Almaen, gan bwyntio allan i'n gilydd afon a thref ac arfordir ymhell islaw, lled-hepiai ef yn ei sedd yn hollol ddigyffro, wedi plygu'i bapur newydd yn deidi a gosod y mân bapurach sy bob amser yn crynhoi o gwmpas rhywun ar daith o'r fath yr un mor deidi yn y cydau sbwriel. Ei fagiau yn hwylus wrth law a'i wregys wedi'i chau amdano. Yn deidi.

Gŵr felly yw. Canolig o ran maint, iach yr olwg arno, heb flewyn na bwcwl allan o'i le. Un o'r rheiny na hoffwn i fentro amcanu ei oed – rhyw ganol oed ifanc tragwyddol, efallai – a thafodiaith hyfryd cyffiniau Abergwaun ar ei wefusau.

Doedd cyrraedd hwrli-bwrli Heathrow a'r paratoadau i ymadael y bore hwnnw wedi mennu fawr ddim arno chwaith. Eisteddai'n dawel yn y lolfa ymadael a'i offer – gan gynnwys y camera fideo hollbwysig a drudfawr – o fewn golwg ei wyliadwriaeth. Tra rhuthrai rhai ohonom i'r 'duty free' neu i'r dec ymwelwyr i weld rhyw Goncorde neu 747 yn rowlio'n osgeiddig hyd y tarmac ni chymerai Tomi fawr o sylw. Iddo ef, nid yw awyren ond modd i gyrraedd un man o fan arall. A ph'un bynnag, gwelodd y cyfan ganwaith o'r blaen – ac yntau'n ddyn camera ffilm a theledu.

Cylchu uwchben Stuttgart a glanio, a'r rhuthr arferol drwy byrth y tollau, ac yntau, heb frysio dim, rywfodd ar y blaen i ni i gyd. Oddi yno i'r orsaf rheilffordd i baratoi am y daith i Berlin. A gweddnewidiwyd Tomi.

Prin ein bod drwy'r giatiau nad oedd wedi llwytho'i holl offer yn ofalus ac yn trotian yn ôl a blaen hyd y platfform fel plentyn. Yn pipio i fewn i un trên ar ôl y llall, yn tynnu siarad â'r gyrwyr a'r giard, yn holi, yn nodi lled y trac, ac yn rhaffu sylwebaeth fanwl i unrhyw un ohonom a fynnai wrando ar bob manylyn o system rheilffyrdd yr Almaen gyfan. Achos dyn trên ydyw. Mae enaid i drên. A does neb, medden nhw, yn anghofio'i gariad cyntaf.

Nid rhyfedd hynny efallai, ac yntau wedi'i fagu yn Abergwaun ac yn sŵn ac aroglau'r hen GWR. Oni bai am y Doctor cythraul hwnnw a'i fwyell buasai Tomi wedi graddio i fod yn yrrwr trên ers blynyddoedd – wedi cyrraedd pinacl ei uchelgais – a Chymru'n dlotach o ŵr camera gyda'r gorau.

Weddill yr ymweliad hwnnw yr oedd yn ei seithfed nef. Ni chredaf fod injan ar drac o Stuttgart i Hanover nac o Berlin i Freiburg nad oedd camera Tomi wedi'i anelu ati, o drenau bychain, un cerbyd Oberharmersbach a'r Goedwig Ddu i drenau buain, hanner milltir o hyd y rheilffyrdd traws-gwlad.

Fe lwyddodd hyd yn oed i seboni'i ffordd i gaban y gyrrwr ar un o drenau buana'r wlad (mae camera teledu'n medru agor pob math o ddrysau) a galw ar y gweddill ohonom i rannu'i wefr. Erbyn i ni gyrraedd roedd Tomi a'r gyrrwr ar delerau ti a thithau ers amser, a'r arwyddbyst yn pasio fel dannedd crib fân. Bron na chredaf fod y gyrrwr wedi'i hagor hi mas dipyn go lew i ddangos i'w gyfaill newydd be oedd trên. Y nodwydd yn crynu ar linell goch y peryg (a throsti unwaith neu ddwy) ar ddau gant a hanner yr awr. Cilomedrau wrth gwrs. A gwên lawn mor lydan ar wyneb Tomi. 'Wena i ariôd wedi credu galle trên fynd mor gloi, 'achan.'

CYFRINACH

Rhywfodd, os yw'n fodd i fyw – i ni bawb
Y mae'n boen unigryw.
Heb ei dweud, dim byd ydyw,
Ond o ddweud ei diwedd yw.

DYMUNIAD

Gennym er bod digonedd – yn ein mêr
Ni mae hiraeth rhyfedd,
A'n rhaid fyth o grud i fedd
Yw dyheu hyd y diwedd.

ECO

Daw yr alaw yr eilwaith – ac yna'n
Dipyn gwannach deirgwaith,
Nes i'w mân adleisio maith
Yn ddim lonyddu ymaith.

RHODD

Y neb a'i derbynio hi – yn angof
Na ollynged m'oni,
A'r neb fo'n ei rhoi i ni
Na fydded yn gof iddi.

Y GYNGHANEDD

Yn enaid yr awenydd – ei geiriau
Fel dau gariad newydd
Drwy eu sain a'u hystyr sydd
Yn galw ar ei gilydd.

Er ei chraster a'i chrystyn – a rhoddi'r
Addurn arni wedyn,
Am ryw reswm mae'r eisyn
Yn well na'r gacen ei hun.

DYCHYMYG

Fe all y gwybod ballu – ond ynoch
Y mae dawn serch hynny
I ddwyn i fod gerdd na fu
Yn eich enaid, a'i chanu.

GWELEDIGAETH

I'r ychydig unigryw – ordeiniwyd
Gorau dawn dynolryw
I wneud yr hyn nad ydyw
A'r hyn na fu'n rhan o fyw.

CWESTIWN

Lle bo'r deall yn pallu – hyfrydwch
Chwilfrydedd yw mynnu
Rhoi mewn dot a chryman du
Y broblem i barablu.

IORI

Doedd e ddim yn hollol 'run fath â phawb arall. Damwain yn faban, mae'n debyg. Cwympo allan o'i bram a niweidio'i ben yn ddrwg. Doedd fawr ddim rhyngddo a marw yn y man, medden nhw. Ond am agos i drigain mlynedd bu'n rhan annatod o dref Aberteifi.

Mab i un o wŷr blaenllaw'r dre, oedd yn swyddog lles a chantor o fri, enillydd cyson mewn steddfodau mawr a mân ac aelod amlwg o'r Gymdeithas Gorawl nodedig a flodeuodd dan fatwn yr athrylithgar Andrew Williams.

Cof da amdanom, laslanciau o'r wlad yn y Cownti Sgŵl, yn brysio i lawr i'r dre hanner dydd yn y gobaith o gwrdd â Iori yn rhedeg ei neges ddyddiol i'w fam. Y fasged fach gron honno'n swingio'n beryglus o'i law, a ninnau – er mai prin y deallem ei leferydd – yn ein melltith yn ceisio ganddo drio'i dric arferol o droi'r fasged dro cyfan uwch ei ben. Fel arfer fe lwyddem, ac fel arfer hefyd disgynnai'r nwyddau'n llanast hyd y pafin. Chwarae teg i Iori, ni'n siomodd erioed, a chwarae teg i ninnau hefyd, fe'i helpem i ailgasglu'r hyn oedd yn gyfan cyn mynd i'n gwahanol ffyrdd – ef i gyfeiriad Palmyra ar bwys y Ca' Ffair a ninnau yn ôl i'r ysgol.

Byddai yno drannoeth wedyn, a'r balchder o gael ysgwyddo cyfrifoldeb ei swyddogaeth bitw yn amlwg yn ei lygaid. Yr un balchder a ddangosai wrth gael mynychu cyngerdd ac eisteddfod yng nghwmni'i rieni, ac weithiau gyfarfod â Gwen Catleys a James Camerons byd cerdd pan ddeuent i gymryd y prif rannau yn yr oratorio flynyddol. Yr un fyddai Iori yn ei ymwneud â hwy ag â ninnau ei gyfoedion. Mae i'r iâr gloff ei lle ar y buarth.

Ond, mor anochel ag y mae'n annisgwyl, fe ddaeth yr hen bladurwr heibio. A distawodd y cantor. Symudodd Iori a'i fam i'r Hafod newydd ar gwr y dref lle y câi hi gymorth i'w ymgeleddu. Ac mewn adeg pan oedd pawb yno'n 'nabyddus â'i gilydd, mae'n siŵr eu bod mor gysurus ag y medrent fod. Tan yr ergyd nesaf. A gadawyd y plentyn hanner cannoed yn amddifad.

Ond nid cyn iddo ennill ei le. Tra medrodd, rhedai negeseuon dros ei gyd-letywyr a'r staff mor gydwybodol ag y gwnâi i'w fam gynt. Yn wir, efallai mai'r un pwrpas therapiwtig oedd iddynt. A datblygodd rhyw fath o ddefodaeth i drefnu'i fywyd wrthi.

Pan alwai'r ofalwraig i'w helpu i godi yn y bore byddai'n rhaid iddo gael rowlio yn groes i'w wely i agor y ffenest fach ar ei bwys. Ni wnâi'r tro iddi hi wneud hynny. Yna cynheuai'r teledu a dodi'r allweddell reoli yn ôl yn ei hunfan. I'r fodfedd. A chan eistedd ar yr erchwyn dechreuai wisgo amdano, gan fotymu'i grys o'r gwaelod i fyny bob amser. Cymerai iddo gryn amser, ond wiw i neb geisio'i frysio, na'i helpu chwaith.

Yna, fel pe bai'n fodlon ei fod unwaith eto'n ddiogel wrth ryw angor gyfarwydd, bodlonai i'r nyrs ei gynorthwyo gyda'r gweddill. Wedi gwisgo, mynnai iddi hi adael yr ystafell yn gyntaf – iddo ef gael sicrhau fod y teledu a'r golau wedi'u diffodd – cyn ei chanlyn i lawr y grisiau i gychwyn diwrnod arall yn llawn o ddim byd. Ond mae'n wag ar ei ôl.

NHW

Ni'n hunain sy'n eu henwi – y bobol
Sy'n wahanol inni,
Ond ni'n hunain yw'r rheini,
Waeth iddyn Nhw nhw 'yn ni.

PENCAMPWR

Erioed i bob record byd – y daeth awr
Gweld ei thorri rywbryd,
Mae i well ei well o hyd
A'i gryfach i gawr hefyd.

Pob anorthrech a drechir – gorau gŵr
Y gamp a ddisodlir,
Safon neb ni saif yn hir,
A ragoro a gurir.

GERALD DAVIES

Y buan, nid dy bŵer – a ofnai
Cefnwr yn dy amser,
Ei faeddu o reddf oedd yr her,
A'i osgoi'n dy ysgawnder.

Dy ryfeddod oedd codi – ein hen gêm
Yn gelf i'w chlodfori,
A chreu atgof ynof fi
O'r Oes Aur i'w thrysori.

PEN-BLWYDD PYSGOTWR YN DDEG A THRIGAIN

A'r afon yn arafach – nid yw gŵr
Saith deg oed ddim sioncach,
Ac eto'n mynd yn giwtiach
O bwll i bwll gan bwyll bach.

COFEB HEDD WYN

Rhowch ar aberth brydferthwch – ac euro'r
    Garreg â gwladgarwch,
  Yn nhir y lladd daw o'r llwch
  Y ddwys waedd 'A oes heddwch?'

I'R PUM LLANC

(a laddwyd mewn damwain ym Mlaenannerch)

Hwn yw mur y pum hiraeth – a gwely
    Galar pum cymdogaeth
  Am bum llanc ifanc a aeth
  I wal y pum marwolaeth.

EIC DAVIES

Nid yw y garreg yn dweud 'Gwladgarwr'
Ar wely Isaac, yr hen arloeswr,
Ond tra ar y maes y tery maswr
Ei gôl adlam gyda sgìl ochrgamwr
Bydd eto ar go' dermau'r gŵr – ar waith
Yn saga'i iaith tra bo cais ac wythwr.

AR LECHEN I GOFFÁU MAN GENI T. LLEW JONES

Rhythmau'r iaith yw y muriau hen – a chwedl
    A chân yw pob llechen.
  Cartre Llew, crud deor llên,
  A thŷ mabolaeth awen.

GLADYS

Prin fod capel Tan-y-groes erioed wedi gweld y fath gynulleidfa. Y lle dan ei sang o bobl o bob lliw. Melynion, duon, gwynion – a brithion hefyd. Acenion *patois* y Caribî yn gymysg â Chocni pur a *brouge* y Gwyddel a Chymraeg Dy' Sul Sir Aberteifi. *Dreadlocks* a phoni-têls ochr yn ochr â phennau moelion a hetiau parch merched gwlad, a lledr a PVC yn rhwbio ysgwyddau â brethynnau mwy ceidwadol.

Bydd galar heddiw yn nrysau siopau Brixton. Bydd chwithdod ym mhentrefi papur Notting Hill. A bydd gan *winos* ac *alcis* corneli gwarth Charing Cross un glust yn llai i wrando'u preblian, un ysgwydd yn llai i bwyso arni, ac un pâr o ddwylo'n llai yn estyn i geisio'u tynnu o'r pydew. Dwylo a grafangodd eu ffordd o'r un pydew eu hunain.

Achos bu farw Gladys. Yn ei chwsg, yn ddirybudd ac yn llawer rhy gynnar. Efallai fod Brenin Braw yn teimlo mai trwy ddod yn ddiarwybod oedd yr unig ffordd y medrai fod yn hollol siŵr o'r brae. Ys dywedodd cymeriad arall, dan amgylchiadau heb fod yn gwbl annhebyg efallai, 'Melys hedd wedi aml siom, distawrwydd wedi storom.'

Nid bod unrhyw beryg i'r hen bladurwr ei chamgymryd hi am neb arall – hyd yn oed ymhlith miliynau diwyneb Llundain. Roedd hi mor lliwgar ei gwisg ag unrhyw un o'r *mommas* croenddu yr oedd mor gartrefol yn eu plith. Roedd hi mor dafotrydd ag unrhyw un o borteriaid yr hen Billingsgate. Yn wir, efallai mai'r union hynodrwydd a fyddai'n llestair iddi yn ei bro enedigol oedd ei chryfder yng nghylchoedd cosmopolitaidd yr eneidiau coll. Nid pawb ohonom a all ddweud i ni ganfod ein hunion rôl mewn bywyd. A llai fyth i ni adnabod y rôl honno wedi ei gweld.

Byddai'n bregeth ei gweld yn mordwyo'i ffordd hyd strydoedd ei gofalaeth fabwysiedig. Yr hwyliau'n llawn ac yn edrych fel rhyw groesiad rhwng Meic Stevens ac Ella Fitzgerald. Siawns na chodai un o drueiniaid y gwter i'w chofleidio yn ei lau a'i fudreddi. Efallai mai ei unig arbenigrwydd yng ngwacter ei fodolaeth fyddai'r ffaith iddo gysgu yn yr un drws siop am hyn a hyn o fisoedd, neu iddo ddarganfod bin sbwriel newydd i dyrchu drwyddi. Rhyw un wreichionen fach, un marworyn lledfyw, o ddynoliaeth eto'n aros rywle yn lludw'i fod. Gwreichionen y gwyddai Gladys yn dda y gallai dal i chwythu arni ei chynnau eto yn rhywbeth tebyg i'r hen dân. Fe chwythodd hi ei siâr.

Roedd hi'n un barod iawn â'i chamera, a ffrwyth y parodrwydd hwnnw'n llenwi droriau lawer yn ei fflat. Ond roedd pedwar llun a gâi le anrhydedd ar ei seidbord orlawn. Dafydd Iwan, John Conte, Karl Francis a'r Tywysog Edward. Dafydd Iwan am mai ef oedd yr unig ganwr a fu erioed, iddi hi. Heblaw am Tom Jones efallai, yn awr ac yn y man.

John Conte, y bocsiwr o Lerpwl a fu'n wynebu'r un gelyn ochr yn ochr â hi. A Karl Francis, y cynhyrchydd ffilmiau y teimlai'n ddigon ewn arno i'w orchymyn i ddefnyddio'i ddylanwad i chwilio am noddwyr i'r Alcohol Recovery Project. 'Get me some big names, Karl. And start at the top.' Roedd llun y tywysog yn tystio iddo lwyddo.

Lluniau, lluniau, lluniau. Ond doedd yr un ohonyn nhw'n debyg i'r llun a welodd hi'i hunan ar lofft Plas-y-Wern.

Bu'n cyd-fyw am rai blynyddoedd ag Eddie. Brodor o Glasgow a diemwnt amrwd arall. A phan ddeiagnoswyd fod cancr terfynol arno, priodasant, efallai o barch i ryw hen draddodiadau yr oeddent eu dau, i bob golwg, wedi cefnu arnynt. A daeth ag ef adref i farw.

Ac yntau ar ei wely angau, os nad, yn wir y diwrnod olaf un, a hithau'n fore braf a ffenest y llofft ar agor, hedfanodd robin goch i mewn a disgyn ar gorun moel y claf. A rhewwyd y ffrâm.

ER COF AM CASSIE DAVIES

Pan gilio poen y galar – a'r hiraeth
Fel marworyn claear,
Fe ddaw y cof at fedd câr
I greu doe uwch gro daear.

Lleihau wnaeth y gannwyll wen – a breuhau
Wnaeth braich y ganhwyllbren,
Aeth y cwyr a'r babwyren
Yn ara bach, bach i ben.

Llond galar o wladgarwch – yn cyfarch
Llond cof o ddiddanwch,
Llond capel o dawelwch
O barch i lond arch o lwch.

MÊL

Deued o'r berllan dawel – neu o rug
Y rhos ŵyl Fihangel,
Ni waeth o ble daw'r fedel
Mae sawr y maes ar y mêl.

CYD

I'n clymu yn Gymry i gyd – mae ynom
Heniaith yn ymyrryd,
I'w choledd a'i dychwelyd
Yn fyw i'r cof ar y cyd.

CWLWM

Edefyn rhwng dau efell – a'u cydiodd
        O'r cwd cyn eu cymell.
    Pob dafad o'r ddiadell
    Mae ei hŵyn heb fod ymhell.

TÂN CWLWM

Tân ara'n pentan eirias – ac aelwyd
        Yn gwlwm o'i gwmpas,
    Bawlyd ei fwced bolas
    A'i drwch o lwch a'i fflam las.

HYDREF

Y cawr balch yn cribo'i wallt – llwyth ar lwyth
        O'i lywethau emrallt,
    A dewis, eto dywallt
    Rhaflau'r haf i liwio'r allt.

TROBWLL

Yn gylchoedd mae'r dŵr golchi'n – y Deau
        Yn dianc gan chwerthin
    Ei ryddhad tua'r gratin
    I lawr i'w dwll lwyd 'i din.

ARTHUR

Sais hyd fysedd ei draed. Tal, esgyrnog, cefnsyth (ys dywedai gweinidog o'r cylch am un o gymeriadau'r Beibl – 'bachan strêt iawn, fel rhywbeth wedi llyncu poer'). Yn ôl y sôn, baban wedi'i wrthod a'i adael gan ei fam rywle yng nghyffiniau Lerpwl. (Oedd, roedd y pethau hynny'n digwydd yn yr oes aur honno rhwng y ddau ryfel hefyd.) Ei fagu mewn gwahanol gartrefi elusen a'i gael ei hun o dipyn i beth yn gwasnaethu ffermydd yn y cylch yn ei arddegau cynnar. Mynd gyda'r llanw wedyn o fan i fan am flynyddoedd nes gorffen ei ddyddiau gwaith yn y gwersyll yn Aber-porth.

Byw'n ddigon rwff. Rhannu hen garafán gyda Mick, llathen arall o'r un brethyn. Enaid hoff cytûn ar brydiau. Perthynas y ci a'r hwch (neu Sais a Gwyddel efallai) bryd arall. Hoblan yma a thraw gyda'i gilydd, ambell griws, dilyn y ceffylau – ennill weithiau hefyd, yn amlach yn eu dychymyg eu hunain. Darn annatod o'n cymdeithas ni a rhan o'i hanes.

Cyn dyfod o'r dyddiau blin. Arthur yn deffro rhyw fore a chael Mick yn farw. Ei gladdu'n syml, ond yn ddigon parchus ym mynwent y plwy. Ar y goriwaered yr aeth yr hen 'Âthy' wedyn. Cyn pen fawr o dro cartre henoed, ysbyty, a'r diwedd anochel. Un arall o eneidiau'r hen fyd 'ma wedi rhedeg ei gwrs. 'A dim ond nodyn digon tlawd mewn papur newydd', ys dywed y bardd, yn rhoi manylion moel yr angladd i ddod. Y lleiafswm cyfreithiol y mae'n rhaid i'n cymdeithas ofalgar ni wrtho.

Ond fel y gwirod hwnnw y profodd yn weddol helaeth ohono yn ystod ei oes, mae'n rhaid bod tynged yr hen gymêr wedi cyrraedd rhyw fannau na chyrhaeddodd gwirodydd eraill. Dyma'i hen gydnabod o'r dyddiau gynt yn dod i'r casgliad ei bod yn warthus o beth i'r hen Arthur gael ei gladdu'n ddi-sylw mor bell o fro'i fabwysiad, ac yn ymhŵedd â'r awdurdodau am gael ei ddwyn yn ôl i'w gynefin i'w roi i orffwys. Iawn, meddai'r rheini, cyhyd â bod ei gyfeillion yn gyfrifol am dorri'r bedd, trefnu'r gwasanaeth a chwrdd â'r dau gan punt o gostau i ddwyn y corff yn ôl.

Ac felly y bu. Doedd hi fawr o drafferth trefnu casgliad mewn tŷ tafarn neu ddau i godi'r arian. Doedd hi'n fawr mwy o drafferth, mewn awyrgylch gydweithredol o'r fath, cael addewid am ddigon o ddwylo at y gwaith caib a rhaw chwaith. Felly aethpwyd ati i ddathlu ymadawiad Arthur am y byd arall gydag arddeliad. Gormod efallai.

Achos ar y ffordd i'r fynwent fore'r angladd i ddechrau ceibio dyma ddamwain fach i'r car. Chafodd neb niwed ond dihangodd dau cyn i'r glas gyrraedd â'r balŵn, a chan fod y mater hwnnw bellach yn 'sub judice' gwell brysio 'mlaen.

Erbyn hyn roedd awr yr oed yn nesáu a'r bedd heb ei dorri a dim ond un pâr o ddwylo'n ffit i wneud hynny. Os ffit hefyd. Achos gwaith trwm fyddai hynny i un, a'r dedlein mor agos. Eithr onid oedd bedd cymharol ffres yr hen Mick gerllaw? Beth yn well er mwyn arbed amser yn ogystal â pharchu'r hen ffrenshibeth na'i ailagor i'w hen gyfaill?

Claddwyd Arthur yn brydlon am hanner awr wedi dau, brin dair troedfedd o dan yr wyneb, mae'n wir, ond fel y dywedodd rhywun ar y pryd, gymaint â hynny'n nes i'r nefoedd na Mick.

Stori ramantus, a digon difyr, a phetai'n ffrwyth dychymyg siawns na ellid fy ystyried yn storïwr byr o ryw fath. Y drwg yw, mae'n berffaith wir.

PREGETH

Am roi gwên i ryw eneth – am beidio,
Am ddim byd, am bopeth,
Am ddod i fod, yn ddi-feth
Yn hogyn fe gawn bregeth.

BOD YN SÂL

Hynny yw, sâl go iawn, sâl cadw gwely. Nid y pyliau sydyn hynny a ddôi drosoch ar foreau Mawrth y gwersi ffiseg slawer dydd ac a ddiflannai lawn mor sydyn ac anesboniadwy ryw dri chwarter awr yn hwyrach.

Nid nad oedd eich rhieni'n gwybod yn iawn beth oedd yn mynd ymlaen, a chwithau'n gwybod eu bod yn gwybod. Diau iddynt hwythau fod wrth yr un gêm yn eu dydd. Ond sut y medrent feiddio anwybyddu symptomau'r gwddw sych a'r cur pen a'r bola tost? Roedd naw deg naw y cant o'u synhwyrau'n dweud mai twyll oedd y cyfan ond yr un arall yn ofni y *gallai* fod yn rhywbeth gwaeth. Fe gymrodd i chi ddod yn rhieni eich hunain cyn i chi lawn sylweddoli'u dilema.

Doedd dim dowt amdani yn y gân honno yn *Llyfr Mawr y Plant* slawer dydd.

> Dim hanner da, dim hanner da,
> Rhy gla' i feddwl codi,
> Llymaid o de a thamaid o dost
> A 'nhrowsus ar bost y gwely.

Hawdd y medrwn ddychmygu'r truan hwnnw a'i ben yn tabyrddu a'i galon yn curo fel 'tai am neidio allan o'i boced frest, pob asgwrn a chymal o'i gorff yn dolurio, yn chwysu'n babwyr a'i wres yn yr entrychion, pob pesychiad yn artaith a hyd yn oed rhywbeth fel troi llygad yn boen.

Am y diwrnod neu ddau cyntaf nid yw nac amser na dydd na nos yn cyfri dim. Trio taro osgo gyfforddus rhwng y blancedi a honno'n para am ryw gwta bum munud. Troi ar y cefn am ysbaid a blino ar hynny chwap iawn, trio'r ochr chwith, yna'r dde eto ac felly ymlaen, ac ymlaen, ac ymlaen . . .

Mae sŵn llais, pa mor gydymdeimladwy bynnag, yn boendod pur. 'Eisiau diod?' 'Dim diolch.' 'Paned a bisgïen?' 'Na.' Eisiau dim ond llonydd a thawelwch. Dechrau deall pam y mae eliffantod yn cilio i ryw 'gornel tawel, tywyll' lle 'neb ni wêl na lle na dull' pan ddêl eu hawr.

Erbyn y trydydd a'r pedwerydd diwrnod bydd y claf wedi penderfynu nad hon yw ei awr ef wedi'r cyfan, y gwres wedi gostwng rywfaint a'r dychmygion drychiolaethus rywfaint yn fwy synhwyrol. A hwn yw'r cyfnod peryg.

Dyma'r union adeg i meilord ddechrau mwynhau'r holl sylw a thendans y mae'n eu cael; pan yw'n ddigon gwael i orfod cadw gwely ac yn ddigon da i hanner mwynhau hynny. Mae'n wir bod rhyw dasgau arfaethedig y dylai fynd ynghyd â hwynt, a rhyw orchwylion ar eu hanner y gallai eu cwpla pe câi'r nerth (a'r ysfa) i godi i fynd ynghyd â hwy. Ond twt! i beth? Mae 'fory cy'd â heddiw'.

Yn wir, clywais yn ddiweddar am wraig a gymerodd i'w gwely ym 1928 wedi cael dos o'r ffliw. Daeth dros honno ymhen rhyw ddeng niwrnod. Ond yn rhy hwyr. Roedd wedi dod i ddibynnu ar ymdrechion ei theulu i ofalu amdani i'r fath raddau fel mai'r unig bryd y gadawai'r gwely oedd i fynd i'r tŷ bach. Aeth hyn ymlaen am ddeng mlynedd a thrigain – tan iddi gladdu'r ddwy chwaer a brawd a fu'n ei hymgeleddu. A hithau bellch yn ddeg a phedwar ugain aethpwyd â hi i gartref henoed – lle mae'n codi bob bore a byw'n hollol normal!

Dw i ddim yn siŵr na fyddai *Llyfr Mawr y Plant* wedi arbed tipyn o boen a ffwdan i'r teulu'n gyfan, achos mae awgrym am bethau gwell i ddod yn y 'Tipyn yn well, tipyn yn well, cael tafell fawr o bwdin'. A dyna'r adeg pan fydd y claf yn gorchymyn gadael drws y landin ar agor, iddo gael clywed hen seiniau cyfarwydd y gegin yn dod i fyny'r grisiau. Murmur lleisiau, tincial llestri, rhygnu'r hwfer ac yn y blaen. Mae rhywbeth yn aruthrol o gysurlon mewn seiniau felly. Ni synnwn i ddim nad ydynt cystal â'r moddion cryfaf. Mae dyn fel 'tai'n cael ei dderbyn yn ôl unwaith eto i fyd yr amddifadodd salwch ef ohono. Dim ond un peth sy'n aros. 'Codi fel cynt, codi fel cynt, ac allan i'r gwynt i chwarae.'

YR EFENGYL YN ÔL MARX

Pam sychu tin brenhiniaeth – neu ddyheu
Am ddoeau arglwyddiaeth?
Nid gwerin nad gwerin gaeth,
I lawr ag uchelwriaeth.

ASYN O DDYN

Un barnol ei stwbwrna – ei yrru
Na'i arwain ni fynna,
Byw yn ots i bawb a wna,
Yn cnoi, 'n cicio neu'n caca.

EWROP

Mae Arian am gyfannu – lle mae dryll
(Am dro) wedi methu,
A gwedd rhyw fawredd a fu
Yn hen go'n ei gwahanu.

SGORIO

Oes raid yr holl gofleidio – am un gôl?
Dwi'm yn gweld fod cicio
Awyr iach i rwyd bob tro
Yn achos i lapswcho.

ENGLYN I'W ROI UWCHBEN Y CYNULLIAD

Boed gennych lendid buchedd – a hiwmor
    Yn gymysg â'r mawredd,
  Tri gair fo'ch arwyddair: Hedd,
  Gwarineb a Gwirionedd.

ENW DA

Bydd chwyn yn estyn drosti – a'r garreg
    Orau yn briwsioni.
  I goffáu'n rhinweddau ni
  Mae enw'n well na meini.

JIM

Go brin y byddai neb yn ei alw'n gymeriad hoffus. Roedd yn rhy hollwybodol i hynny. Wedi'r cyfan, does dim yn debycach o godi gwrychyn pawb ohonom pan fyddwn ar ein hisaf na chael gwybod bod ateb hollol syml i'n holl broblemau. Os nad cael gwybod lawn mor rhwydd, a ninnau ar ein gorau, mai'r peth hawdda'n y byd fyddai gwella ar y gorau hwnnw.

Nid oedd un o broblemau mawr y dydd na feddai Jim yr ateb hunanamlwg iddi. Gymaint felly nes peri i ddyn synnu bod angen chwe chant a rhywbeth o aelodau yn San Steffan i wneud jobyn bach y medrai ef ei wneud wrtho'i hunan – a chymryd pythefnos o wyliau yn y mis yn y fargen!

Waeth yn y byd beth fyddai'r pwnc – fe fynnai fod yn groes i chi. Yn wir roedd cystal â bod yn llywodraeth a gwrthblaid ynddo'i hun. Byddai'n annoeth canmol tywydd teg yn ei glyw – hyd yn oed yng nghanol mis o dywydd felly. 'O, cadno yw e, wel' di. Ma'r hen fynyddo'dd 'co'n rhy agos,' neu 'Macsu am storom y ma' hi, wel' di,' neu rywbeth o'r fath, cyn rhoi i chi grynodeb manwl o'r modd y collodd proffwydi tywydd y radio arni unwaith yn rhagor y bore hwnnw.

Yr unig ffordd lwyddiannus i'w drafod fyddai gadael iddo ef gael y gair cyntaf (byddai'n saff o drio cael y gair ola, p'un bynnag) achos pe digwyddech ei gyfarch â Bore Da tua phum munud i ddeuddeg fe fynnai bod eich wats chi'n araf a'i bod yn bum munud wedi, ac felly'n brynhawn. 'Mae'r hen wats 'ma gen i ers deugain mlynedd, wel' di. Fe'i prynes hi ar farced Pontypridd yn tsiêp (gellwch fentro, waeth roedd mor dynn â lleuen) yn neintîn twenti a dyw hi ddim wedi colli eiliad odd'ar 'ny.' Colli, myn asen i! Yr unig beth y meiddiai'r wats honno'i golli fyddai'i sglein!

Ond wedyn roedd yn gymydog a wnâi gymwynas â chi heb feddwl ddwywaith, a byddai ganddo'i rownd ddigyfnewid i'w gwneud yn ddyddiol – er i fwy nag un awgrymu efallai mai un o ddibenion y galw mynych fyddai ei alluogi i gadw llygad ar fusnes pobl eraill. Ond mae'n well gen i gredu mai haelfrydigrwydd oedd hynny ar ei ran. Achos ni fynnai i neb na dim amddifadu'r gymdogaeth o'i gwmni a'i gyngor!

Bu cydnabod o ffermwr yn ddigon annoeth i gyfaddef wrtho rywbryd fod hatris a gwlydd bron â thagu'i geirch y flwyddyn honno. Ac yr oedd ateb Jim i'r broblem, fel arfer, mor blaen â hoel ar bost. Gofynnodd i ba gyfeiriad yr oedd y cae wedi'i 'redig – yn ei hyd ynte ar ei draws – gan baratoi'i ddeiagnosis wrth reswm, beth bynnag fyddai'r ateb. O gael ar ddeall mai yn ei hyd yr arddwyd, ef yr oedd yn hollol amlwg, 'wel' di', mai fel arall y dylid bod wedi gwneud. 'Achos, wel' di, byddai'r ca' wedi sychu'n well 'tait ti wedi'i 'redig e ar ei draws – a dyw hatris ddim yn lico tir sych, wel' di.'

Esboniad digon rhesymol, wrth gwrs! Yn wir, bron yr unig beth na fedrai Jim gynnig esboniad arno oedd ei hollwybodolrwydd ei hunan.

Credai'n gryf mewn cynildeb – rhag i'r wast fynd yn ofer, ys dywedai. Nid oedd na darn o bapur brown na throedfedd o gortyn a gâi'i losgi – daw diben i bopeth ymhen saith mlynedd, meddai ef. Ond byddai llawer o'r farn fod y duedd honno'n cael ei chario braidd yn rhy bell pan fynnai Jim roi'r riwbob drwy'r mangl i gael y diferyn olaf o sudd allan ohono pan wnâi riwbob wein. Yn enwedig o ystyried mai newydd fod drwy'r un mangl fyddai'r trôns gwlanen â'r streipen las hynny yr oedd mor hoff ohonynt.

Ond mae'i le i bawb mewn byd. Hyd yn oed i hen goliers wedi ymddeol sy'n dod â'u storïau mawr adre gyda nhw i fwrw dwst i'n llygaid ni ddiniweitiaid cefn gwlad. A'r un cynildeb cadw-popeth a'm galluogodd i, wedi ei farw, i ddod o hyd i amlen pecyn pae a gawsai mewn pwll glo yn Risca ym 1912 – £3/12/6 am chwe diwrnod o waith! A'i fariaid offer hefyd. Mandrel, bwyell, gordd, bar ebillio a bar bach, a'r rheiny i gyd mor loyw lân ag y buont erioed. Ac mae'r harn ynddynt yn brawf nad rhywbeth dros dro oedd crefft – na chrefftwyr – yr oes honno.

Yn ei dyb ei hun mae'n siŵr iddo newid rhyw gymaint ar yr hen fyd yma, ar yr wyneb yn ogystal ag odano, ac ni synnwn i ddim nad oes gwell trefn ar bethau i fyny acw wedi iddo ef roi'i dwls ar y bar.

CAMA

Bu'n wythnos nodedig am enedigaethau anghyffredin. Joseph a Cama. Y cyntaf ym Methania, Ceredigion a'r ail heb fod nepell o'r Bethania wreiddiol yn y Dwyrain. Joseph, fel y gwyddom, yn blentyn i fam drigeinmlwydd a lwyddodd i berswadio'r meddygon i roi iddi ryw gyffur i'w galluogi i feichiogi. Ond er gwaethaf cysylltiadau Beiblaidd ei enw, roedd ei fam gryn dipyn yn brin o record y Sara yn Genesis 'oedd yn wraig deng a phedwar ugain mlwydd'.

Hynod o ran ei rieni oedd Cama hefyd. Y naill yn gamel a'r llall yn lama. Ffrwyth AI. Gwyddor sy'n hen gyfarwydd ym myd anifeiliaid y fferm ers tro, wrth gwrs. Ac mae'n debyg fod lle i amau misdimanars mwy na'r misdimanars arferol wrth wraidd cenhedlu Joseph yntau. Ys dywedodd Isfoel, 'magu stoc heb ymgais tad gan arfau digynhyrfiad'.

Mae'n siŵr gen i fod mam Joseph yn llawn abl i ateb drosti'i hun a rhoi ei rhesymau digonol dros ei phenderfyniad, gan gynnwys, mae'n siŵr, hawl rhesymol gwraig i ddewis pa bryd i feichiogi. Safbwynt cwbl ddealladwy ffeministiaeth, wrth gwrs. Ond chafodd mam Cama mo'r dewis, na'i dad chwaith, 'tai'n dod i hynny.

Yn ôl trefn naturiol pethau, digon anodd fyddai paru dau mor anghymarus â'i gilydd o ran maint. Anodd ond ni amhosib. Mwy nag y byddai'n amhosib paru chihuahua â milgi, dyweder. Mater o 'dynnu yma i lawr a chodi draw', fel petai.

Achos clywsom mewn sawl ardal sôn am gŵn yn paru â llwynogod – er na chwrddais i â neb erioed a allai dystio iddo weld y fath greadur. Ac mae hanesion am yr un math o beth yn digwydd yn America rhwng cŵn a bleiddiaid. Heb sôn am asynnod a merlod. Ond o leiaf mae'r rheiny rywle'n agos i'r un maint â'i gilydd, ac iddynt fwy neu lai yr un nodweddion.

Ond yn hanes Cama dyma baru, am y tro cyntaf erioed, ddau o'r un rhywogaeth ond nid o'r un tras. Achos mae camel a lama, meddir i mi, yn gefndryd. Oesoedd maith yn ôl esblygasant i'w haddasu'u hunain i'w gwahanol amgylchfydoedd. Ac yn awr dyma ddyn, gyda'i allu anhygoel ym myd genynnau a phethau o'r fath, unwaith eto'n eu hailuno ar draws y cyfandiroedd a'r milawdau ag un chwistrelliad fechan. Pam, sgwn i?

Yr esboniad swyddogol yw bod gobaith y bydd Cama yn cyfuno rhinweddau ei ddau dylwyth, ac y bydd yn anifail gwaith ac yn gynhaliaeth cystal â'r camel, a chyn hawsed ei drin a chyn werthfawroced ei wlân â'r lama (neu efallai'n wir mai fel arall y mae hi, dw i ddim yn siŵr!): Hynny yw, unwaith eto, ei fusnes ef ei hun sydd gan ddyn mewn golwg. Ond ys gwn i a oedd yna, rywle yn ddwfn yn enaid y sawl a feddyliodd am y peth, ryw arlliw o'r hen, hen chwedlau. Oedd e'n synied amdano'i hun fel rhyw fath o dduw?

Achos roedd croesi rhywogaethau yn gyffredin yn y rheiny. Pegasws a'r Minotawros ac yn y blaen, a duwiau a duwiesau a feddent nodweddion pob math o fod dynol a chreadur. Heb sôn am amryfal heibridau y Mabinogion. A yw'n bosib fod gwyddoniaeth yn awr yn dod i barhau'r traddodiad hwnnw?

Ond petawn i yn lle creawdwr Cama fyddwn i ddim yn gor-lawenhau. Mae'r ffeministiaid yn dod. Achos os mai lama yw mam Cama ac nad oedd gan ei dad gymaint â rôl *sleeping partner* yn y fenter, onid enw'r fam ddylai gael y lle blaenaf yn enw'r llo/oen/ebol/cywcamel bach? Onid doethach fuasai'i alw'n Lamel?

MS

Ni fyn ei galw'n fenyw – na hogen
Na gwraig chwaith nid ydyw,
Nid yw ŵr chwaith na deuryw,
Ffêr inyff, beth yffarn yw?

KITKAT

Mân-gamodd i fyny at y cownter braidd lwyr ei hochr – hytrach yn debyg i geiliog yn 'nelu am iâr – a'i hadain fach wen yn hanner hongian o'i hôl. Yn un peth, roedd ei bag llaw croen llo, *genuine y'know*, o dan ei chesail arall. A pheth arall, roedd yn rhaid iddi gadw un llygad ar ei throli llwythog yn y gornel bellaf ar bwys y bwrdd bach i ddau – yr unig fwrdd gwag yn y lle pan ddaethai i fewn. Achos mae tai bwyta'r archfarchnadoedd 'ma mor . . . mor *vulgar* – popeth yn blastig a wyddoch chi ddim pwy yw pwy. Nid fel y caffi bach hen ffasiwn hwnnw yng nghanol y dre – câi *madam* wasanaeth fan'ny.

'Next!' Ond yn wir, prin ei bod wedi sisial ei harcheb wrth y brat budr am y gwydr â hi nad oedd cwpanaid o de a soser ar y cownter o'i blaen. Heb ddiferyn yn y soser chwaith.

A'r pecyn KitKat wrth eu hymyl. Dim serfiét, wrth reswm – hyd yn oed un bapur. Wrth gwrs, ddylai hi ddim, ond twt! os na all rhywun laesu'i thresi bob rhyw hyn a hyn . . . A doedd neb yn ei nabod yno beth bynnag. Ond jest rhag ofn . . . sgubodd y siocled i geg agored y croen llo. Byddai blas ar hwnna maes o law Ac roedd arni angen llaw wag i gario'r te, p'un bynnag.

Ymlwybrodd ei ffordd rhwng y byrddau tua'r bwrdd bach yn y gornel a chwant y KitKat eisoes yn dechrau melysu'i cheg. Ond oerodd drwyddi pan welodd fod rhywun wedi cymryd un o'r seddau tra bu hi wrth y cownter. Dyn, o bopeth.

Nid ei bod hi'n un o'r ffeministiaid milwriaethus yma, cofiwch. Wel, nid bob amser beth bynnag. A theimlodd ryw hanner gigl fach yn cronni yn ei mynwes . . . Ond roedd hi wedi edrych ymlaen at fwynhau'r danteithyn gwaharddedig wrthi'i hun. Ond nawr – hwn. *Oh bother.*

Ei ben yn ddwfn yn ei bapur – y *Times*, roedd yn dda ganddi weld – a'i ddwy goes hir, binstreip, du ymhleth o dan y ford. Hanner cwpanaid o goffi du yn mygu yn ei ymyl a stwmpyn sigâr yn mygu yn y soser lwch ar ei phwys. O, wel, fe allai fod yn waeth, meddyliodd hithau, gan ei chlwydo'i hunan mor ddeniadol ag a ddenai ei sylw ef gyferbyn. Yn ofer.

Cododd ei chwpan i'w cheg â llaw or-gabol a sipio'i phaned. Nid *Earl Grey* yn hollol efallai, ond yn ddigon blasus. Eisteddodd yn ôl ac estyn ei choesau yn ofalus. Ond rywsut rywfodd, er iddi dynnu'n ôl ar unwaith – wel, bron – cyffyrddodd eu traed o dan y ford.

Llithrodd y *Times* ryw dair modfedd yn is a daeth pâr o lygaid tywyll, talcen llydan a phen yn dechrau britho i'r golwg uwchlaw. 'Begio'ch pardwn, Ma'am!' A thynnu'i draed ato. Gwenodd hithau'i maddeuant a gigl fach arall yn dechrau cronni. Beth wyddai ef am yr wythnos fach honno yn Patmos, a'r Groegwr hwnnw wrth fwrdd y restrant . . . ? Ond roedd hynny ers blynyddoedd bellach, a hithau yn ei hoed a'i phethe. Ac yn ôl ag ef i'w gocŵn.

Tawelwch. Dim ond sŵn siffrwd papur bob ryw hyn a hyn a thinc ei chwpan hithau weithiau. Yna llaw yn ymestyn rownd i ymyl y papur gan ddangos dwy fodfedd o lawes wen. Ymbalfalu'n ddall hyd wyneb y bwrdd nes dod o hyd i'r pecyn KitKat a'i dynnu'n ôl i'r cocŵn fel wenci'n tynnu'i phrae i'w thwll.

Aha! meddyliodd hithau, un ohonom ni. Dyn *Times* a dyn KitKat hefyd. Anarferol iawn. Ond roedd rhywbeth bach, bach heb fod yn hollol iawn yn ei gylch, er na fedrai yn ei byw feddwl beth. Cymerodd ddracht arall o'i chwpan a chlywai sŵn siffrwd papur o'r tu ôl i'r cocŵn. Synhwyrodd ei fod yn agor y pecyn ac ymhen ysbaid ymddangosodd y llaw eilwaith, palfalu am y soser lwch a chrensian y pecyn gwag yn belen iddi. Ysbaid arall a'r llaw'n dod wedyn a'r tro hwn yn gadael gaing o GitKat a modfedd dda wedi'i chnoi oddi ar un pen ar ymyl y bwrdd.

Ac yna fe'i trawodd! KitKat! – ei ChitKat hi! Roedd hwn yn bwyta'i ChitKat hi o dan ei thrwyn fel 'tai e'n berchen arno!

Roedd hi'n *flabbergasted*. A dweud y gwir roedd hi mor gasted roedd ei fflabber yn crynu fel na fedrai gael gair allan! A chymerodd ddracht arall o de i geisio tawelu'i nerfau.

Y . . . y . . . y . . . crachyn diegwyddor ag e – y mochyn sofinistaidd. Hawyr bach, beth nesa? A daeth y llaw wen allan eto a chydio yng ngweddill y KitKat a'i dynnu'n ôl fel Caledfwlch i'r llyn. Nid ymddangosodd wedyn.

Erbyn hyn roedd gweddill ei the'n oeri'n araf yn ei chwpan a'i thymheredd hithau'n codi i'r un graddau'n union. Ni fedrai yngan gair. Ac yn y parlys mudan hwnnw yr ydoedd pan wthiodd y *Times* ei gadair yn ôl a chodi i'w lawn chwech a dwy, gan gychwyn tua'r cownter a dychwelyd chwap iawn gyda choffi du arall a phecyn KitKat. Dododd hwy ar y bwrdd eto, tynnodd ei gadair ymlaen eto, estynnodd ei goesau eto, cododd ei bapur eto – a thaniodd sigâr.

Ond fel yr esgynnai mwg *That Hamlet Moment* o un ochr i'r bwrdd, esgynnai hefyd y tymheredd o'r ochr arall. Fel daeargryn yn cronni yng nghrombil y ddaear. Nes ffrwydro. Ond yn dawel. Reit! meddyliai wrthi'i hun. Reit! Fe gei di weld, gw'boi!

Estynnodd y KitKat a rhwygo'r pecyn ag un slash o'i chrafanc goch, ei grensian mor swnllyd fyth ag y medrai yn ei llaw, taro'r cynnwys yn gyfan yn ei cheg a dechrau cnoi â sŵn fel hwch mewn cladd swêds.

Disgynnodd y *Times* ei dair modfedd arferol. A thair arall. Edrychodd y llygaid tywyll i'r soser lwch ar gonffeti'r pecyn KitKat a dyrchafu'n araf, araf o'r bwrdd i gwrdd â'r gwreichion yn ei llygaid hi. Ni fedrai Clint Eastwood yn well. Tynnodd ei hanner sigâr o'i geg a'i gwasgu i'r soser dan ddal i syllu i'w llygaid. Nid ynganodd air. Plygodd ei bapur yn ofalus a'i ddodi dan ei gesail. Cododd a cherddodd allan. Urddasol tu hwnt.

A'i the erbyn hynny'n olchan oer a gwres y fuddugoliaeth yn dal yn ei llygaid, cododd hithau yn y man. Casglodd ei throli a'i wthio i'r maes parcio at gefn yr Audi i'w ddadlwytho. *Oh bother*, drws y gist ar glo eto. Estynnodd i chwilio'r bag llaw croen llo am ei hallweddi a'r haleliwia yn dal yn ei henaid. Roeddent ar y gwaelod yn deg, eto fyth. Gyda'i phecyn KitKat!

CYMRU DWY FIL . . .

Y GYNGHANEDD

(*Byddai Waldo'n arfer dal ei bod yn cynnig trydydd dimensiwn i'r iaith Gymraeg.*)

Yn oesoesol obsesiwn – i ni rhoed
Y trydydd dimensiwn,
Rhyw benddaredd a feddwn,
Os nad oes sens, i wneud sŵn.

EICH SÊR A CHWI

Mae tynfa Gwener ar ei chytserau
Yn rhyw awgrym y bydd programau
Y ffeminyddion yn fflachio'u doniau
Ar y gwrwod i gael eto'r gorau.
Ond drwy grafanc a stranciau – cyn ein bod,
Y deuai'r cathod yn dorrog hwythau.

Fe fydd uchelgais tra bo pleidleisio'n
Llaweru geiriau i dwyllo'r gwirion,
A misdimanars ein meistri mwynion
Tra cwyd y 'Sun', ac fe bery dynion
I ysu am hanesion – sgandalau.
Nid yw rhinweddau'n dod i'r newyddion.

Tra bo blew ar ddanadl bydd cystadlu,
A hithau'n 'heniaith' yn hŷn na hynny
Er inni o hyd ei marwnadu,
A thra llenydda fe fydd dyrchafu
Rhywrai'n feuryn yfory – a boed o
Yn iawn ai peidio bydd rhywrai'n pwdu.

Fe yrr dyn o'i athrylith syfrdanol
Yfory i Fawrth ryw ferfa wyrthiol,
A chylchu'r wybren ar gefn ei wennol
Yn ufudd was ei chwilfrydedd oesol.
Mynd yn uwch er mwyn dod 'nôl – dyw yntau
I'w deidiau gynnau yn ddim gwahanol.

DOLLY

Prin fod angen eleni – na hedyn
Na thad i'w ffrwythloni.
Hen groth y wyrth, ei gwerth hi
Yw i glôn gael ei eni.

PWY YW FY NGHYMYDOG?

Mae model o gymydog
Yn hen dyddyn Glyn y Glôg
Wedi'i weld ers dengmis da –
Doethach na'r un diwetha.
Roedd hwnnw'n hollol holics
Yn smocio côc er mwyn cics,
A chwrsio'i fam, am wn i'n
Hanner porcen drwy'r perci.

Mae hwn na'r bwbach hwnnw'n
Ymddwyn yn well medde nhw.
Y mae, heb un amheuaeth,
Yn ŵr o athrylith, waeth.
Mae'n gallu byw mewn gwell byd
Nag eraill, mewn seguryd.

'Four by Four' a 'mobile phone'
A soser TV'r Saeson,
Tŷ clyd a phatio clodwiw,
A bow cwch a'r barbeciw
Yn ei ymyl, a hamoc –
A hyn oll heb wneud dim cnoc!

Mae'r gŵr yn gampwr y gêm
O estyn ffiniau'r system
A'i thwyllo i roi'n ei frywes
Dorth wlych y Wladwriaeth Les,
Gwres y bwth, a'i gryd a'i bais
Yn y fargen, a'i forgais.

Ei addoli a ddylem,
Nid ei ladd â thafod lem.
Fe hawlia frwd fawl y fro
I'w ddawn – tra bydd e yno.

Y GWASANAETH (AF)IECHYD

Paid â gofyn 'Be sy'n bod?' – erbyn hyn
Does fawr neb yn gwybod,
Waeth i ddyn gall cymhleth ddod
Heibio yn ddiarwybod.

Mae ynom bawb ein 'mania' – neu ryw is
Niwrosis o leia,
Neu mae sindrom arnom, a
Does fawr neb heb ei phobia.

Cawn y Doc i wneud ei waith – â'i gyllell
I'n gwella o'n hartaith.
I lwm o hyd – disgwyl maith,
I ariannog – ar unwaith.

Pa brinder cyfleusterau – neu reswm
Dros greisis gwelyau?
Pa edliw hyd y ciwiau
Os ces i bres i'w byrhau?

Lliw fy arian, llefara – rho ofal
Preifat i mi'n gynta,
Chi dlodion allan fan'na,
I chi a'ch teip – iechyd da.

DIFFYG (AR YR HAUL?)

Clywais sôn fod dynion doeth
Yn dinoeth yn rhodianna
Draw ym Mhlwy Ardudwy wâr
Ym Mhenar noethlymuna.

Nhw yw saint y brenin Sol,
Yn fythol fe'u bendithiant
A dyheu am weld ei wedd,
A'i fawredd a glodforant.

Yno'n solas gras y gro'n
Ei hinon yn eneinio
Bôn a brig ag eli gwyn,
Yn grystyn rhag eu rhostio.

Clywais sôn i'r dynion doeth
Drannoeth fynd ar eu hannel
Yn un dorf i fryn eu duw,
I Gernyw mewn rhyw gornel.

I'w weld ef ar ganol dydd
Ym mynydd y cymuno,
Fry ymhell dan fantell fwg
O'r golwg yn rhyw gilio.
Moli'r siom o wylio'r siew
Drwy dew ffenestri düwch,
Rhag i gylch y dreigiau gwyn
Eu dallu'n ei dywyllwch.

Yna troi o bentir hwyl
Eu gŵyl o ffaelu gweled
Wedi'r heip ar fyr o dro
O Druro adre i waered.

DATGALONI

'Senedd nid yw yn syniad – 'marferol,
    Mae'r feri datblygiad
  Gennym i aileni'r wlad,
  Gwnawn yn well – cawn Gynulliad.

'Iddo down â gwleidyddiaeth – gynhwysol,
    Gwnawn iws o sbinyddiaeth,
  OMOV yn angof a aeth,
  Rheitiach yw democratiaeth.

'Wrth reswm, Sais sy 'i eisie – i roi hwb
    I'r Gymraeg a'r Pethe,
  Ac yn wir, i'r tir yntê – a'r gwartheg
  Llaw llysieureg wrth y llyw sy ore.

'Pa edliw blin mai pwdl blêr – yw hwnnw
    Fu'n bennaeth y siamber?
  Mae yma un y mae e
  Reit i wala'n rotweiler.

'Pasiwn y pethau pwysig – (fel ein tâl
    Yntê)'n weddol ddiddig,
  Ond uwchben cynnen y cig
  Dewrach oedi ryw 'chydig.

'San Steffan a'i tharane – nid i hwn,
    Boed wâr ei bwyllgore,
  Di-lid fo'i gyd-aelode
  Fel na bo sŵn bw'n y Bê.'

DIM OND GOFYN

A hwy'n orau yn Ewrop
Pwy a wâd i'n grwpiau pop
Yr hawl i ganu'n yr iaith
Sy orau i'w clasurwaith?
Waeth p'un, nid gwell un na'r llall,
Dw *i* ddim yn eu deall.

Os yw strôb ym mwstwr rêf
Yn hawdd i'r tshics ei oddef,
Ac os mai gwych ei luched
Sut mae mewn sesh eisie shêds?

Os rheswm combo'r drwmwr
Ar y stâj yw treblu'r stŵr,
On'd yw'n syndod ei fod e
Wastad yn plygio'i glustie?

CYFRIFIADUR

Pa athrylith fendithiol
Yn y grefft, pa 'fyg' a'i rôl
A luniodd ei raglenni
Mor gall nad yw'n deall '0'?

O NA BYDDAI'N HAF O HYD

Maen Nhw yn rhy brysur yn segura
Heddiw i hanner mwynhau hamddena.
Heigiau niferus y gonfoi ara
Din-drwyn sy'n dirwyn fel moch Gadara
I folheulo'n Falhala – ddilychwin
Gwlad y Gorllewin, lle mae'r hin yn ha'.

Pwy sydd a wybydd faint eu haberth,
Neu a ŵyr gymaint o ddur a gymerth
I fynd drwy draffig y Bont, a'r drafferth
I ddyn dŵad yw arwyddion dierth
Ar riw siarp neu ar dro serth – wrth ddiengyd
O stryd yr adfyd i'r Wynfa brydferth?

Na hidiwn lanast ar hyd ein lonydd,
Na'u twr o gywion, na'u cŵn tragywydd.
Croesawn eu dyfod, rhwng y cawodydd,
I'r Walia Gŵl i gweryla â'i gilydd.
Mae heulwen ac ymwelydd – cyfoethog
Yn dod â'r geiniog, mae'r wlad ar gynnydd.

Waeth nhw sy'n cynnig y waredigaeth
I'r Gymru wylaidd rhag ei marwolaeth,
Eu cysur yw rheol ein bodolaeth
A hulio'u digon ein galwedigaeth,
Yn nhir llwm y mêl a'r llaeth – tewch â sôn,
Nhw a'u cynilion yw ffon cynhaliaeth.

Amenio heddwch traeth a mynydda
A chaer Rufeinig a charafanna
Heddiw yw'r hanes, a'r flwyddyn nesa
Fallai'n anfon cyfeillion i Wynfa,
Nes dod 'nôl y waith ola – ryw ddiwrnod,
A chael bod eu dyfod wedi ei difa.

'. . . FEL YR ADEILEDID Y DEML.' Sech. 8:9

A bu, yn y dyddiau duon, annerch
o'r henwyr rai gweinion
y Ffydd. 'Na foed brudd eich bron.
Gwnawn i ni deml newydd
i fod yn glod drwy'r gwledydd,
er urddas Dinas y Dydd.

'To grisial ar lun malwen yn agor
ar degwch yr heulwen
a chau rhag defnynnau'r nen,
a'i llawr o'r clotas glasaf
na wywant yn y gaeaf,
ac ni bydd grin yn hin haf.

'Arlwywn wydrau lawer i'w heirddion
fyrddau fel y gweler
torf ei saint o rif y sêr,
a daw brawd o iachawdwr
i'n gwaradwydd, gwaredwr
o barthau Deau y dŵr.

'Ac ef drachefn a gyfyd y galon
gywilydd, ac edfryd
y gân a dawodd gyhyd.
Ac yna fe utganwn
ei fawredd, a chlodforwn
ei allu – pan enillwn.'

BWYTA'N IACH

Dacw rhyw ionc yn loncian – drwy'r mwrllwch
Ar drot hwch yn tuchan,
Ffasiynol reol ar ran
Un â phot yw ffit-ffatian.

Bara i'w fwyta ni fyn – na dim oll
Sy'n gwneud math o enllyn,
Dim saws, dim caws, dim cig gwyn,
Na dim ŵy na dim menyn.

Mistêc fâi bwyta stecen – ei ddiwedd
Siŵr Duw fyddai harten,
Mae cig yn berig dros ben
A'r botel yn *verboten*.

Mae'i wraig ar ddeiet eto – i'w lleihau,
Wnaeth y lleill ddim gweithio.
Ond erioed, boed fel y bo,
Rhaid i rai bara i drio.

Felly purdan amdani – aerobics
A rhyw rybish feji,
Man a man 'tai'i mam a hi
Yn bwrw mas i bori.

Mae colestrol lond bola – yn y cig,
Ac mewn caws lysteria,
Ac iddi mae pob dim da
Yn wael am salmonela.

Chwarae teg i'r deietegydd – fe ŵyr
Efe y daw'r bwydydd
Heddiw a fônt yn ddi-fudd
Er hynny i'r fôg drennydd.

* * *

I'w hwtro'r wyf fi hytrach – yn fyddar,
Ond fe fyddai, hwyrach,
Fy nghoffin i'n ysgawnach
Betawn i yn bwyta'n iach.

ALUN MABON

Lle triniai gwlltwr unwaith – i ennill
Gwenith o'r tir diffaith
Mae'r G.E.'n ymroi i'r gwaith*
O'i roi'n ôl i'r drain eilwaith.

* y Gymuned Ewropeaidd.

CWRDD Y BORE

Yn ei ddwst a'i wedduster
Tawai'r cloc a swatiai'r clêr
Yn sych-Saboth swch-syber.

Croen y wal yn cario nod
Llwydni ac ambell adnod
A hen luniau'r eilunod.

Dau lwmp o hen ŷd y wlad,
Un hen g'wennen a'r gennad –
Digon i gael diwygiad –

Yn cwafrio'r ceinciau hyfryd
A 'cyhoeddi' 'run ffunud
Â 'taen nhw'n gant yno i gyd.

Hwylio drwy'r fendith ola
I'r iet yn gwartét, 'Ta-ta
A go'-bless tan tro nesa.'

CYFATHREBU

Rŷm ni'n prynu'r papure
I ni bawb gael gwybod be
Fydd ar sgrin y teli 'ntê,
Ac yn gwylied teledu
Os ŷm am wybod be sy
'Mhapure fore fory.

REALAETH BRON-Â-BOD

Ar ei lun ef ei hunan y gweithiodd
Efe gaethwas tegan
O ddyn Mawrth, a ddôi'n y man
Yn efaill cwbwl-gyfan.

Ei ddonio â rhwyddineb clun a llaw,
Calon, llais ac wyneb,
A'i wybod yn grynodeb wedi'i hel
I ryw banel metel chwim ei ateb.

Ond y robot didrwbwl ni allai,
Serch holl allu'i feddwl,
Danio ffag na bod yn ffŵl, na chymryd
Olwyn ei gerbyd yn dablen garbwl.

Na chodi pais na threisio hyd yn oed,
Na 'gwneud' neb, rhagrithio,
Na heileiffian na sbliffio chwaith, druan,
Mwy na chelwydda na chywilyddio.

Na dyheu am gael dial ar eraill,
Nac ar awr ei ofal
Fwrw'i frych na chrafu'r wal –
Byddai hynny'n *rhy* real.

SUT OEDD HI I TI?

Gwneud cythrel o sbloet a jolihoetian
Fel petai'n gyntaf ac olaf Calan,
Hyd nes dôi Ennyd Sero ei hunan
I oldlangseinio'r môr a'r marian,
A'r hen gloc yn tictocian – waeth be wnawn,
Ei fesur cyfiawn – dau fys i'r cyfan.

PŴL NEU FFŴL?

Gobeithio nad wy'n gwneud cam ag ef, ond os deallais i ei resymeg yn iawn, mae gan wyddonydd nid anenwog o'r parthau hyn ddamcaniaeth fod symudiad y peli ar fwrdd pŵl yn profi bodolaeth Duw – neu o leiaf rhyw drefn lywodraethol uwch y mae pawb a phopeth yn ddarostyngedig iddi.

Rhywbeth yn debyg i hyn. Mae'r peli'n rhydd i fynd i ba gyfeiriad fynnan nhw pan drewir ergyd y toriad, gan stopio ar unrhyw ran o'r bwrdd mewn modd sydd i bob ymddangosiad yn gwbwl ddamweiniol. Bydd un yn mynd yn gyflymach neu'n arafach nag un arall, yn taro'r cwshin ac yn newid cyfeiriad, yn taro pêl arall gan wneud i honno newid cyfeiriad, neu hyd yn oed yn aros yn ei hunfan. Weithiau bydd un, neu efallai rhagor, yn cwympo i boced. Siawns hollol.

Ond bydd pob pêl yn rhwym o symud (neu beidio) yn unol â rheolau ffiseg sy'n gwbwl ddigyfnewid. Bydd yn rhaid iddi drafaelu mewn llinell union nes daw i gyffyrddiad â phêl arall, er enghraifft, neu bydd yn peri i honno droellu rhywfaint gan achosi iddi newid ei hongl oddi ar y cwshin. Bydd yn medru llyncu rhywfaint o ynni pob gwrthdrawiad ar yr un pryd â throsglwyddo'r gweddill i'r bêl nesaf. Ac yn y blaen, ac yn y blaen. Mae'r posibiliadau'n ddiderfyn. Ond â'r cyfan o fewn cwmpas rhyw hafaliadau sydd, yn unigol, yn ddigon dealladwy, ond na all yr un bod meidrol eu cwmpasu yn eu crynswth, na'u hamgyffred i gyd gyda'i gilydd.

Nawr fe fydd Steve Davisiaid y byd 'ma, drwy eu hathrylith a hir ymarfer, wedi dysgu defnyddio'r rheolau ffiseg hyn i'w pwrpas eu hunain. Wedi dysgu taro'r bêl wen yn y fath fodd nes medru rhag-weld, o fewn i ddim, beth fydd canlyniad unrhyw ergyd a wnânt. O fewn i ddim. Ond nid yn hollol. Er iddynt dorri'r cochion a dod â'r wen yn ôl o fewn trwch y blewyn i'r union fan a fynnant bob tro, ni fydd yr un toriad yn gwmws yr un fath â'r llall. Dyna'r rheswm, er pob ymberffeithio mewn crefft a medr, mai gêm fydd hi'n y diwedd. Felly pam trafferthu trio?

Mewn gwesty yr oeddem pan ddechreuais feddwl fel hyn, yn

gwylio dau fachgen ifanc wrthi ar y bwrdd pŵl, pan ddaeth eu tad i fewn a'u brawd bach, rhyw flwydd a hanner oed efallai, ar ei fraich. Mae'n rhaid nad oedd y bychan wedi gweld gêm o'r blaen, achos, un ai o weld ei frodyr hŷn yn gwyro mor ddefosiynol uwchben sgwâr gwyrdd gan bocro pêl fach wen â darn o bren bob hyn a hyn, neu o weld y peli lliwgar yn sgrialu i bob cyfeiriad, dechreuodd chwerthin dros bob man. Chwerthin nes oedd y dagrau'n rowlio i lawr ei wyneb. Chwerthin ar ei draws i gyd. Chwerthin fel na all ond baban wneud. Nes tagu bron.

Bob tro y byddai un o'r lleill yn nelu ergyd deuai storom arall o chwerthin drosto. Nes bod pawb arall yn chwerthin gydag ef, wrth gwrs. Chwerthin amdano ef yn chwerthin, nes oedd y stafell i gyd yn ei dyblau. A'r chwaraewyr druain, oedd gynnau mor ddifrifol ynghylch eu gêm, bron yn methu dal eu pastynau gan fel yr oeddent hwythau'n chwerthin. Gwnâi'r tad ei orau i geisio ganddo dawelu ond wrth gwrs ni wnâi hynny ond ei gael i chwerthin mwy.

O'r diwedd aeth ag ef allan. Wn i ddim pam chwaith. Doedd yr un ohonom wedi cael y fath hwyl ers tro byd. A phan dawelodd pethau, a ninnau'n dychwelyd i'n sobrwydd arferol, roedd yna rywbeth yn dal i chwarae yn fy meddwl. Rhywbeth ynghylch . . . 'oddieithr eich gwneuthur fel plant bychain . . .' bob yn ail â . . . 'pa hyd y pery echel chwil y sioe . . .'